SA
SP

SAILING WITH SPANISH

A course for all ages

JUANA ARENAS

Acknowledgements

My infinite gratitude goes to the designer and consultant of this book, Ricardo Arenas-Spinos, without whom this endeavor could never have become a reality, to my dear family, who so enthusiastically supports my work, and to all those students whose devotion and dedication never cease to inspire me.

ISBN: 1-933570-44-X

Manufactured in the United States of America

Contenido / Contents

Course 1

Course 2

COURSE 3

Introduction

Course I

Spanish is a rythmically structured language. It flows gently and smoothly like the rise and ebb of the tide. That is why we need to establish from the start those sweet, soft, clear vowel sounds that make this language easy to pronounce; and know also that they are invariable.

Unlike English, every word in Spanish is pronounced exactly as it is written. Once you practise these vowel sounds, attach them accurately to words and listen to your voice speaking them, you are on your way. You will embrace this musical language, Spanish, and make it your own. You've got to love it!

Juana Arenas

A	(*AH*)	as in bark, park	not like can
E	(*EH*)	as in ever, letter	not like way
I	(*EE*)	as in bee, leap	not like sit
O	(*OH*)	as in opal, own	not like cot
U	(*OO*)	as in look, food	not like unity

Repeat over and over: A E I O U

Now make them long:

AAAAA — EEEEE — IIIII — OOOOO — UUUUU

Look at your vowel sounds and say these words:

casa	*nené*	*lindo*	*luna*
sala	*mesa*	*revista*	*nube*
papel	*persona*	*vino*	*unido*

Let's look at some important factors about consonants: you can place the following letters before each vowel and practice the sounds of Spanish:

B D F L M N P S T V Z

ba	*be*	*bi*	*bo*	*bu*	
da	*de*	*di*	*do*	*du*	
la	*le*	*li*	*lo*	*lu*	
na	*ne*	*ni*	*no*	*nu*	
ta	*te*	*ti*	*to*	*tu*	etc.

c is sometimes pronounced like the English K: *casa, cosa*; and sometimes like S as in *gracias, oficina.*

ch is a letter and is pronounced like the CH in chest: *muchacha*, *mucho.*

g sometimes has a sound like the G in guy: *guante, lengua.* It also has a sound like H as in hat: *gente*, *genio.*

h is forever silent - ignore it.

j sounds like a soft, gutteral H: *jamás*, *ojo.*

k There are few words in Spanish with K: *kilo*, *kilómetro.*

ll is a single letter pronounced YA: *llamada*, *lluvia.*

ñ is a letter pronounced like NIAH: *niño*, *piña.*

q followed by U sounds like K: *que*, *quiero.*

r when single has a soft roll. Place the tongue on the front, upper pallet and say a D: *pero*, *barco.*

rr is also a single letter. Do the same as for R but roll the tongue inward: *carro*, *burro.*

w There are no words in Spanish with W, unless drawn from English, such as water, whiskey.

y This letter is pronounced EE, like the *i* in Spanish. It combines to make a one-letter sound in words like: *yate*, *yeso.* ***Y*** is also the word "and": *Carlos y María.*

z In South and Central America **z** is pronounced like an *S*, not like the Z in zebra: *zapato*, *manzana.*

Lesson I - Part 2

NOUNS: GENDER / ARTICLES

A noun denotes a person, thing or place. It often starts the sentence: *María es bonita* (María is pretty), *la silla es roja* (the chair is red).

In Spanish all nouns have a gender which is masculine or femenine: nouns ending in *o* are usually masculine (*libro, amigo*). Nouns ending in *a* are usually femenine (*silla, mesa*).

The article "the" must agree in gender: *el libro* (the book), *la silla* (the chair).

The article "a" must also agree in gender: *un lápiz* (a pencil), *una rosa* (a rose).

Start your vocabulary! Learn these useful words and keep adding to them as you progress in Spanish:

el libro	the book	*un piso*	a floor
el primo	the cousin	*un camino*	a path
el plato	the plate	*un patio*	a porch
el vaso	the glass	*un hijo*	a son
el cielo	the sky	*un perro*	a dog
el zapato	the shoe	*un rancho*	a hut
el parque	the park	*un banco*	a bank
el amigo	the friend	*un tío*	an uncle

la revista	the magazine	*una taza*	a cup
la mesa	the table	*una planta*	a plant
la silla	the chair	*una sala*	a living room
la casa	the house	*una rosa*	a rose
la corbata	the tie	*una fiesta*	a party
la playa	the beach	*una oficina*	an office
la carta	the letter	*una iglesia*	a church
la hija	the daughter	*una cartera*	a purse

Do not try to memorize the words. Rather, say each one slowly, at least 5 times, exaggerating the pronunciation, and keeping in mind the vowel sounds, A E I O U (*AH EH EE OH OO*). Give it a rhythm!

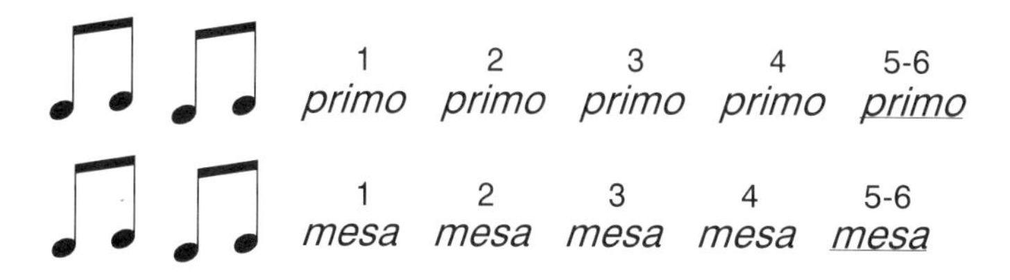

etc.

There are always exceptions to the rule! Some nouns ending in *a* are masculine:

el día	the day	*el clima*	the climate
el problema	the problem	*el sistema*	the system

When nouns end in a consonant or the vowel *e*, you will get to know their gender by repetition or frequent usage in a sentence. Some common ones are:

el hombre	the man	*la flor*	the flower
el color	the color	*la calle*	the street
el lápiz	the pencil	*la pared*	the wall
el jabón	the soap	*la llave*	the key
el papel	the paper	*la nación*	the nation
el hospital	the hospital	*la tarde*	the afternoon
el cine	the movie	*la nube*	the cloud
el guante	the glove	*la ciudad*	the city
el sol	the sun	*la estación*	the station
el traje	the suit	*la noche*	the night
el mes	the month	*la capital*	the capital
el tren	the train	*la puerta*	the door
el almacén	the store	*la mujer*	the woman

Repeat all words slowly over and over; little by little say them faster. Keep your pronunciation clear, pure and musical.

Nouns ending in *ión* are generally femenine, with a few exceptions:

Femenine		Masculine	
la reunión	the reunion	*el camión*	the truck
la religión	the religion	*el avión*	the plane
la condición	the condition	*el timón*	the rudder
la situación	the situation		
la unión	the union		

The accent in Spanish is generally on the next to the last syllable, unless otherwise indicated: *interesante - Américá.*

Lesson II - Part 1
Colors / Adjectives

Colors

rojo	red	*rosado*	pink
azul	blue	*anaranjado*	orange
amarillo	yellow	*gris*	gray
verde	green	*pardo*	brown
negro	black	*morado*	purple
blanco	white	*dorado*	gold

Common adjectives

delgado	thin	*triste*	sad
gordo	fat	*contento*	happy
bueno	good	*alto*	tall
malo	bad	*bajo*	short
viejo	old	*fuerte*	strong
joven	young	*débil*	weak
bonito	pretty	*rico*	rich
feo	ugly	*pobre*	poor
angosto	narrow	*excelente*	excellent
ancho	wide	*grande*	big
largo	long	*pequeño*	small
corto	short	*feliz*	happy
inteligente	intelligent	*amable*	kind, nice

Adjectives / Gender / Number

An adjective is a word that gives a description of a noun. In Spanish it agrees in gender and number and usually comes after the noun: *la casa roja, las casas rojas, un libro bueno, unos libros buenos.*

Masculine singular	Masculine plural	Femenine singular	Femenine plural
el	*los*	*la*	*las*
un	*unos*	*una*	*unas.*

Examples:

el hombre gordo	*los hombres gordos*
(the fat man)	(the fat men)
un vestido nuevo	*unos vestidos nuevos*
(a new dress)	(some new dresses)
la fruta fresca	*las frutas frescas*
(the fresh fruit)	(the fresh fruits)
una casa blanca	*unas casas blancas*
(a white house)	(some white houses)

Give the plurals:

una película buena

la niña bonita

un papel blanco

el piano negro

una revista vieja

el plato amarillo

un niño simpático

una manzana roja

Useful Vocabulary

caja	box	*escuela*	school
banco	bank	*almacén*	store
carta	letter	*mercado*	market
clase	class	*hospital*	hospital
tren	train	*oficina*	office
estación	station	*avión*	airplane
dólar	dollar	*aeropuerto*	airport
comida	food, dinner	*película*	film
restaurante	restaurant	*gasolinera*	gas station
escritorio	desk	*estante*	shelf
cajón	drawer	*centavo*	cent
abrigo	coat	*suelo*	floor
retrato	picture	*puerta*	door
ventana	window	*techo*	roof
cafetería	cafeteria	*farmacia*	drugstore

tren train

Lesson II Part 2

USING ADJECTIVES AND NOUNS

Some nouns and adjectives ending in consonants form their plural by adding *es*.

Example:

Nouns		Adjectives	
pintor	*pintores*	*gris*	*grises*
nación	*naciones*	*local*	*locales*

It is important to stress that, in Spanish, nouns and adjectives have to agree in gender and number. Once the student is accomplished in this area, progress is surprisingly fast.

Give the correct forms of the word in parenthesis as in the first two examples:

la niña (bueno) *la niña buena*

unos alumnos (alemán) *unos alumnos alemanes*

la casa (blanco) ______________________

el libro (viejo) ______________________

los ejercicios (fácil) ______________________

una revista (nuevo) ______________________

las calles (ancho) ______________________

los directores (bueno) ______________________

tres sillas (azul) ______________________

el camión (amarillo) ______________________

unos almacenes (local) ______________________

la mujer (italiano) ______________________

un muchacho (amable) ______________________

las flores (verde) ______________________

Lesson III - Part 1

VERBS

The dictionary definition of a verb is: a word that expresses existence, occurence or action. In other words, something is moving and shaking; therefore how really significant is the verb! Without the verb, nothing exists, feels or performs... or has anything to do. The verb is the vital part, the soul of the sentence. So, love your verbs!

The verb "to be" is essential in getting you on the road to speaking any language. Let's examine the various ways we can use it.

The verb ser (to be)

yo soy	(I am)	*nosotros somos*	(we are)
tú eres	(you are)		
usted es	(you are)	*ustedes son*	(you are)
él es	(he is)	*ellos son*	(they are) - M / M & F
ella es	(she is)	*ellas son*	(they are) - F

With the verb *ser* make 10 of your own sentences with colors and adjectives.

Examples:

La señorita Lucía es bonita.
Los hombres son viejos.
Las nubes son grises.

The familiar form tú is more intimate, used with family and friends. *Usted*, somewhat more formal, is used in all other instances. When in doubt, choose whichever feels right.

Note: The author elects to omit *vosotros*, the formal plural of "you"", being that it is somewhat archaic and seldom used in everyday speech (*vosotros sois*). You will not see *vosotros* used with any of the basic verbs in these lessons.

La profesora López

Supply the correct words:

La señora López _____ *profesora.*

Las muchachas _____ *amables.*

Yo _____ *una alumna buena.*

Ustedes _____ *amigos.*

Los edificios _____ *altos.*

Las calles de Puerto Rico _____ *angostas.*

Nosotros _________ *delgados.*

Usted ___ *el director del banco.*

El gato es ___________ __ ________ (black and white).

La hermana de Pedro es ___________ (rich).

El señor Gómez es _________ (fat).

El maestro Suárez es ____________________ (intelligent).

Las casas son ___________ (blue).

La escuela es _______________ (small).

Roberto y Carlos son _______________ ___________ (excellent students).

Las películas de detectives son ___________________ (very, very good).

Note: *bueno* - good
muy bueno - very good
buenísimo - very, very good / excellent

Practise *ser* (to be) with occupations:

Ocupaciones

estudiante	student	*secretaria/o*	secretary
profesor/a	teacher	*contador/a*	accountant
comerciante	businessman	*comediante*	comedian
vendedor/a	salesman	*arquitecto*	architect
médico	doctor	*ingeniero/a*	engineer
enfermero/a	nurse	*escritor/a*	writer
pintor/a	painter	*piloto*	pilot
cantante	singer	*actor*	actor
mecánico	mechanic	*abogado*	lawyer

Yo soy Alicia.
Yo soy estudiante.

Tú eres Felipe.
Tú eres escritor.

Usted es María.
Usted es vendedora.

El es Roberto.
El es ingeniero.

Nosotros somos Juan y Carlos.
Nosotros somos médicos.

Ustedes son Gloria y Pedro.
Ustedes son arquitectos.

Ellos son José y Carmen.
Ellos son comerciantes.

Ellas son Anita y Nancy.
Ellas son secretarias.

Now create 20 of your own sentences with occupations. You can do it!

Note: The article "a" is not used when indicating profession or nationality, unless described by an adjective: *él es actor - él es un actor bueno; ella es italiana - ella es una italiana bonita.*

Lesson III - Part 2

COUNTRIES AND NATIONALITIES

Italia (Italy)

Holanda (Holland)

Know the difference between countries and nationalities. Also, notice that in Spanish nationalities are not capitalized.

Country (*País*)	**Nationality (*nacionalidad*)**
Los Estados Unidos (The United States)	*americano/a* (American)
Inglaterra (England)	*inglés/a* (English)
Cuba (Cuba)	*cubano/a* (Cuban)
Francia (France)	*francés/a* (French)
Colombia (Colombia)	*colombiano/a* (Colombian)
Italia (Italy)	*italiano/a* (Italian)
Grecia (Greece)	*griego/a* (Greek)
Puerto Rico (Puerto Rico)	*puertorriqueño/a* (Puertorican)
Alemania (Germany)	alemán/a (German)
Venezuela (Venezuela)	*venezolano/a* (Venezuelan)
Canadá (Canada)	*canadiense* (Canadian)
México (Mexico)	*mexicano/a* (Mexican)
Holanda (Holland)	*holandés/a* (Dutch)

Give the correct form:

Ellos son Tom y Nancy.
Ellos son de (from) *los Estados Unidos.*
Ellos son __________________ . (nationality)

Patricia es actriz.
Ella es francesa.
Ella es de ____________ . (country)

Yo soy Peggy.
Yo soy inglesa.
Yo soy de __________________ . (country)

El es Jorge.
El es de Grecia.
El es __________ . (nationality)

Nosotros somos Luis y Mario.
Nosotros somos de Colombia.
Nosotros somos _____________________ . (nationality)

Exercise:

Make up your own descriptions of people. Practise them out loud.
You are on the road to speaking Spanish!

¿Quién es él?

Question Words

quién	(who)
qué	(what)
de qué	(from what)
de dónde	(from where)

Preposition *de* (from, of)
Usage

¿Quién es él?	Who is he?
¿Qué es él?	What is he?
¿De dónde es él?	Where is he from?
¿De qué país es ella?	From what country is she?

Read and supply the correct question:

¿ ______________________? *Ella es María.*

¿ ______________________? *María es profesora.*

¿ ______________________? *El es de México.*

¿ ______________________? *Nosotros somos médicos.*

¿ ______________________? *Roberto es abogado.*

¿ ______________________? *Yo soy Margarita.*

¿ ______________________? *Ellos son comerciantes.*

¿ ______________________? *El pintor es de Cuba.*

¿De qué país es el señor López?

____

(your choice)

Lesson IV - Part 1

THE NUMBERS: 1 - 1000

Pronounce the numbers keeping in mind the vowel sounds: ***A*** (ah) — ***E*** (eh) — ***I*** (ee) — ***O*** (oh) — ***U*** (oo). Also keep in mind the sounds of the consonants already studied. Say each number 3 to 10 times.

uno (oo noh)
dos (dohs)
tres (trehs)
cuatro (cuah troh)
cinco (seen koh)
seis (se hees)
siete (see eh teh)
ocho (oh choh)
nueve (noo eh veh)
diez (dee ehs)

once (ohn seh)
doce (doh seh)
trece (treh seh)
catorce (cah tohr seh)
quince (keen seh)
dieciséis
diecisiete
dieciocho
diecinueve
veinte (veh een teh)

veintiuno (veh een teee oo noh)
veintidós (veh een tee dohs)
veintitrés (veh een tee trehs)
veinticuatro (veh een tee cuah troh)
veinticinco (veh een tee seen koh)
veintiséis (veh een tee se hees)
veintisiete (veh een tee see eh teh)
veintiocho (veh een tee oh choh)
veintinueve (veh een tee noo eh veh)
treinta (treh een tah)

muchos libros

treinta...treinta y uno ... dos ... tres ... cuatro ... cinco

cuarenta...cuarenta y uno ... dos ... tres ... cuatro ... cinco

cincuenta... y uno ... dos ... tres ... cuatro ... cinco

sesenta... y uno ... dos ... tres ... cuatro ... cinco

setenta... y uno ... dos ... tres ... cuatro ... cinco

ochenta... y uno ... dos ... tres ... cuatro ... cinco

noventa... y uno ... dos ... tres ... cuatro ... cinco

cien (see ehn)

Cien is one hundred: *cien carros. Ciento* follows: *ciento dos* (102) *carros, ciento veinte* (120) *carros,* etc.

100 *cien*

200 *doscientos*

300 *trescientos*

400 *cuatrocientos*

500 *quinientos*

The number 342 would be: *trescientos cuarenta y dos.*
The number 671 would be: *seiscientos setenta y uno.*
The number 999 would be: *novecientos noventa y nueve.*

Now write down your own numbers and practise saying them... many times!
How about this number: 1,478
Can you figure it out?

Lesson IV - Part 2
Expressing Numbers and Quantities

hay = there is, there are

Hay has no plural or gender in Spanish.

hay un perro (there is a dog)
hay cuatro perros (there are four dogs)

en = (in, on)
cuántos = (how many?)

muchos (a lot)
pocos (a few)

Practise the numbers with *hay*, *en* and *cuántos.*

Examples:
¿Cuántos libros hay en la mesa? (How many books are there on the table?) *Hay ocho libros.* (There are 8 books.)
¿Cuántas mesas hay en la casa? (How many tables are there in the house?) *Hay cuatro mesas.* (There are 4 tables.)

Give the answers:
¿Cuántas personas hay en el parque? (150)
¿Cuántos alumnos hay en la clase? (39)
¿Cuántas sillas hay en el cuarto? (8)
¿Cuántos platos hay en la mesa? (16)
¿Cuánto dinero hay en el banco? ($2,489)
¿Cuántos libros hay en el estante? (a lot)

Make up 20 similar questions and answers; say each one out loud. Pronounce clearly remembering the vowel sounds. You've already come a long way with Spanish!

Lesson V - Part 1

GREETINGS, COMMENTS AND SALUTATIONS FOR CONVERSATIONS

Buenos días	(Good morning)
Buenas tardes	(Good afternoon)
Buenas noches	(Good evening), (Good night)
¿Qué tal?	(How's it going?)
¿Cómo te va?	(How are you?) (familiar)
¿Cómo le va?	(How are you?) (formal)
¿Cómo está su familia?	(How is your family?)
¿Cómo está tu hermano?	(How is your brother?)
regular	(so so)
bastante bien	(pretty well)
muy bien	(very well)
Está enfermo.	(He/she is sick.)
Tiene gripe.	(He/she has a cold.)
Lo siento.	(I'm sorry.)
Qué lástima.	(What a pity.)
Que se mejore.	(I hope he gets better.)
Bueno, hasta luego.	(Well, so long.)
Hasta la vista.	(So long, until I see you)
Hasta pronto.	(Until soon.)
Hasta mañana.	(Until tomorrow.)
adiós	(Good bye)
ojalá	(I hope so)
Que te vaya bien.	(May everything go well.)

¿Cómo se llama? - What's your name?

me llamo	my name is	*nos llamamos*	our names are
te llamas	your name is		
se llama	your/his/her name is	*se llaman*	your/their names are

Examples:

Me llamo Alberto López.
My name is Alberto Lopez.
Nos llamamos Sofía y Olga.
Our names are Sofia and Olga.
¿Cómo se llaman los niños?
What are the names of the children?
El se llama Jorge Díaz.
His name is Jorge Diaz.

Polite remarks:

mucho gusto	pleased to meet you
con mucho gusto	with much pleasure
por favor	please
gracias	thank you
de nada	you're welcome

mucho gusto

Lesson V - Part 2

CONVERSATIONS

Paco and Carlos meet at the gym.

P. *Buenos días, Carlos.*

C. *¿Qué tal, Paco, cómo estás?*

P. *Muy bien, amigo, ¿y tú?*

C. *Bastante bien. ¿Cómo está tu familia?*

P. *Está bien, gracias.*

C. *¿Cómo está tu primo, Juan?*

P. *No muy bien. El tiene gripe.*

C. *Lo siento.*

P. *Bueno, ¡hasta luego!*

C. *Hasta pronto, ¡adiós!*

Pedro says "hello" to a teacher he meets at school:

P. *Buenas tardes, señor Toledo, ¿cómo está usted?*

T. *Muy bien, Pedro. ¿Cómo le va?*

P. *Bastante bien, gracias, señorToledo.*

T. *Y sus estudios, ¿van bien?*

P. *Sí señor, muy bien.*

T. *Bueno, me complace mucho, Pedro.*

P. *Gracias, hasta luego señor Toledo.*

T. *Hasta mañana, Pedro.*

P & T. *¡Adiós, adiós!*

Gloria and María meet at the dance school:

M. *Hola Gloria, buenas tardes, ¿cómo estás?*
G. *Bien, ¿y tú qué tal?*
M. *Bastante bien, gracias.*
G. *¿Cómo está tu hermanita, Susi?*
M. *Ella está regular, tiene gripe.*
G. *Lo siento mucho.*
M. *Gracias, ¡y cómo está tu familia!*
G. *Muy bien, gracias, pero mi gatico está enfermo.*
M. *Qué lástima; bueno, hasta luego, ¡que se mejore tu gato!*
G. *Gracias, ¡que se mejore tu hermanita!*
M. *¡Hasta luego!*
G. *¡Hasta pronto!*

Make up your own conversations using the greetings with family members and friends you know.

Write out 3 sets of conversations and repeat them out loud several times.

Note: The suffix "*ito*" means very small. It also is used affectionately: *La casita es roja - Pedrito es amable.* The suffix "*ísimo*" means very very: *El libro es interesantísimo - La película es buenísima.*

Lesson VI - Part 1

NURTURE YOUR VERBS

All the verbs we study and learn in this book are the foundation of your new language. Although you may be familiar with a quantity of expressions and words in Spanish, you must have the basic knowledge of how to implement the verbs in a sentence in order to achieve your goal. Each verb you conquer is a gigantic step in progress, and with only four to six verbs to your credit, you will speak the language... really speak Spanish!

There are three conjugations in Spanish; verbs ending in *ar*- first conjugation, *er* - second conjugation and *ir* - third conjugation.

We start with the verb *hablar* (to speak) in the present tense. (The present tense is what usually occurs or is, in fact, happening at the present time).

First conjugation verb: *hablar* (to speak)

yo hablo (I speak)	*nosotros hablamos* (we speak)
tú hablas (you speak)	
usted habla (you speak)	*ustedes hablan* (you speak)
él habla (he speaks)	*ellos hablan* (they speak) - M / M & F
ella habla (she speaks)	*ellas hablan* (they speak) - F

hablar con	to speak with
hablar por teléfono	to speak on the telephone
hablar español, inglés, francés, alemán, griego, italiano, portugués	to speak these languages

Give the correct form of hablar:

José ________ español.

Tú ___________ francés con Michelle.

Nosotros _______________ inglés con los amigos.

Ellos ___________ italiano muy bien.

Yo _________ español con la profesora.

Roberto _________ con su novia por teléfono.

Ella _________ con la señora Gómez en el almacén.

Ustedes ___________ inglés en la escuela.

Elena _________ portugués en la oficina.

¿Qué idioma _________ usted?

You may have noticed that to learn the *ar* verbs, simply remove the *ar* (infinitive) and add the indicated endings:

comprar (to buy)

o	*amos*	*compr / o*	*compr / amos*
as	*an*	*compr / as*	*compr / an*
a	*an*	*compr / a*	

Now conjugate the following verbs:

estudiar (to study) *bailar* (to dance)
trabajar (to work) *tomar* (to drink, to take)

Additional *ar* verbs (look up meaning and study)

viajar	*manejar*	*buscar*	*llorar*
gastar	*cocinar*	*llamar*	*apagar*
tocar	*pagar*	*terminar*	*preparar*
cerrar	*llegar*	*enseñar*	*necesitar*

Second conjugation verb: *comer (to eat)*

yo como (I eat)	*nosotros comemos* (we eat)
tú comes (you eat)	
usted come (you eat)	*ustedes comen* (you eat)
él come (he eats)	*ellos comen* (they eat) - M or M & F
ella come (she eats)	*ellas comen* (they eat) - F

Conjugate the following verbs:

comprender (to understand) *leer* (to read)
beber (to drink) *creer* (to believe)

Additional *er* verbs (look up meaning and study)

correr *aprender* *recoger*
deber *romper* *esconder*
prometer *vender*

Third conjugation verb: *vivir (to live)*

yo vivo (I live)	*nosotros vivimos* (we live)
tú vives (you live)	
usted vive (you live)	*ustedes viven* (you live)
él vive (he lives)	*ellos viven* (they live) - M / M & F
ella vive (she lives)	*ellas viven* (they live) - F

Conjugate the following verbs:

recibir (to receive) *abrir* (to open)

Additional *ir* verbs (look up meaning and study)

escribir *partir* *cubrir*
subir *asistir* *permitir*

Note: *conducir*, *reir*, *salir*, *sentir* are irregular verbs to be studied in lessons to follow.

Give the correct form of the verb:

Example: *Carlos _______ zapatos en el almacén. (vender)*

María ____________ la tarea en el cuaderno. (escribir)

Ellos _________ en un restaurante chino. (comer)

Carlos no _________ muy bien el español. (hablar)

Los niños ___________ en el parque. (correr)

Jorge _____________ la lección todas las noches. (estudiar)

La señora Gómez ___________ muy bien. (cocinar)

Nosotros _____________ las escaleras en el edificio. (subir)

¿Dónde _________ automóviles el señor Martínez? (vender)

¿_______ María en un apartamento o en una casa? (vivir)

Yo no ________________ la tarea. (comprender)

Ellos _________ café con el desayuno. (tomar)

Carmen ___________ la ropa en Nueva York. (comprar)

El avión ________ el sábado por la mañana. (llegar)

El señor López _____________ italiano en la casa. (estudiar)

María _________ en todas las fiestas. (bailar)

¿Dónde _______________ los arquitectos? (trabajar)

El no _________________ la pregunta. (comprender)

Extend your vocabulary

el cuaderno (the notebook)
la caja (the box)
el periódico (the newspaper)
el juguete (the toy)
la playa (the beach)
el teatro (the theater)
la ciudad (the city)
el cine (the movie)
la película (the film)
el pueblo (the town)
la música (the music)
el avión (the plane)
el aeropuerto (the airport)
la ropa (the clothes)
la comida (the food)
la botella (the bottle)
el restaurante (the restaurant)
el café (the coffee)
la leche (the milk)
el postre (the desert)
la biblioteca (the library)
la ventana (the window)
la novela (the novel)
el regalo (the gift)
el mantel (the tablecloth)
la pregunta (the question)
el balcón (the balcony)
el precio (the price)
la tierra (the earth)
la canción (the song)
la camisa (the shirt)
la falda (the skirt)
el examen (the test/exam)
el alumno (the student)
la tarea (the assignment)
el campo (the field)
la estación (the station)
el policía (the policeman)
la capital (the capital)
el mar (the ocean/sea)
la escalera (the stair)
el edificio (the building)
la reunión (the meeting)
la puerta (the door)

Las comidas (The meals):

el desayuno (breakfast)
el almuerzo (lunch)
la comida (dinner)
la cena (dinner, supper)
un bocado (a snack, a bite)
la merienda (afternoon snack, picnic)

Lesson VII- Part 1

DAYS OF THE WEEK

día	day
semana	week
días de la semana	days of the week
mes	month
meses del año	months of the year
año	year
hoy	today
mañana	tomorrow
lunes	Monday
martes	Tuesday
miércoles	Wednesday
jueves	Thursday
viernes	Friday
sábado	Saturday
domingo	Sunday
Hoy es lunes.	Today is Monday.
Mañana es martes	Tomorrow isTuesday
los jueves	on Thursday
los domingos	on Sunday
todos los días	every day

Sentence practise

Lucy compra verduras los lunes.

Mario trabaja en el banco los martes y los jueves.

Los sábados miramos la televisión.

La señora López lava la ropa los viernes.

Yo estudio español todos los días.

Possession

In Spanish there is no apostrophe to indicate possession. The preposition *de* is used instead: *el libro de Juan* (Juan's book), *la casa de Carmen* (Carmen's house).

de + el = del   *La lección (de el) del maestro.*
La puerta (de el) del banco.

Supply the correct form:

___________________________ (Juan's house) *es pequeña.*

El libro es ___________________________ (the student's).

____________________________________ (Mr. Johnson's boat) *es nuevo.*

__________________________________ (The doctor's car) *es un Chevrolet.*

de + la does not change:

Las ventanas de la iglesia

Las flores de la profesora.

La casa de Carmen es grande

Possessive adjectives

Singular			*Plural*	
Masculino	*Femenino*		*Masculino*	*Femenino*
mi	*mi*	my	*mis*	*mis*
tu	*tu*	your (familiar)	*tus*	*tus*
su	*su*	your (formal)	*sus*	*sus*
su	*su*	his, hers, its	*sus*	*sus*
nuestro	*nuestra*	our	*nuestros*	*nuestras*
su	*su*	your	*sus*	*sus*
su	*su*	their	*sus*	*sus*

Note that the masculine and femenine are all the same with the exception of *nuestro* and *nuestra* (our).

Translate:

My home is small.
Your cousin is pretty (informal).
Your teacher is intelligent (formal).
María buys her shoes in the store.
Their car is in the garage.

She washes her car on Saturday.

Lesson VII - Part 2

MONTHS OF THE YEAR / SEASONS

Meses del año

enero	(January)	*julio*	(July)
febrero	(February)	*agosto*	(August)
marzo	(March)	*septiembre*	(September)
abril	(April)	*octubre*	(October)
mayo	(May)	*noviembre*	(November)
junio	(June)	*diciembre*	(December)

Las estaciones

invierno	(winter)	*verano*	(summer)
primavera	(spring)	*otoño*	(fall)

Los meses de invierno son: diciembre, enero y febrero.

Los meses de primavera son: marzo, abril y mayo.

Los meses de verano son: junio, julio y agosto.

Los meses de otoño son: septiembre, octubre y noviembre.

primavera

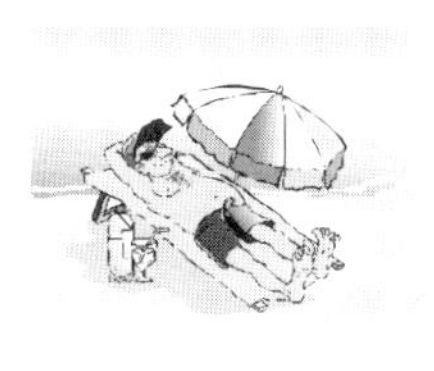

verano

otoño

invierno

Lesson VIII - Part 1

THE VERB *ESTAR* (TO BE)

yo estoy (I am)	*nosotros estamos* (we are)
tú estás (you are)	
usted está (you are)	*ustedes están* (you are)
él está (he is)	*ellos están* (they are) - M or M & F
ella está (she is)	*ellas están* (they are) - F

In Spanish there are two verbs that express "to be". The verb *ser* which we have already studied, refers to a permanent condition, or one unlikely to change at the moment. Example: *él es pintor, la iglesia es alta.*

Estar indicates a location or a temporary situation, and is used with emotions and feelings. Example: *Roberto está en el banco, El lápiz está en la caja, Gloria está enferma hoy, Los niños están felices.*

Supply the correct form of *estar*.

La iglesia ______ *allí.*

Los alumnos _________ *en la clase.*

Yo _________ *triste hoy.*

El _______ *en la casa con María.*

Nosotros _____________ *contentos.*

Ustedes _________ *en la oficina.*

Los actores _________ *en el teatro.*

Los estudiantes _________ *felices con el profesor Gómez.*

Lesson VIII - Part 2

The rooms of the house

sala	(living room)	*patio*	(patio, courtyard)
comedor	(dining room)	*garage*	(garage)
dormitorio/alcoba	(bedroom)	*cocina*	(kitchen)
baño	(bathroom)	*zaguán*	(vestibule)
adentro	(inside)	*afuera*	(outside)

Using the verb *estar* give the correct form:

Pedro ______ en la sala con su familia.
¿Quién ______ en la cocina?
Los médicos ________ en el hospital.
Los perros_________ afuera en el patio.
El señor López _______ en el baño.
Los carros _________ en el garage.
Los Gómez _________ en México.
Los niños _________ adentro.

sala

Lesson IX - Part 1

NEGATIVES

The negative is formed simply by placing a *no* before the verb.

Example:

Yo no hablo francés.
Carlos no está en la sala.

Study review with negatives

El día no está bonito.

Ella no camina por la mañana en el parque.

Ustedes no estudian italiano.

La señora López no vende ropa en el almacén.

Tú no manejas un camión.

Evita no es la hermana de Ricardo.

La secretaria no habla por teléfono.

Los estudiantes no comen en la cafetería.

Pedro y Juan no son amigos.

Nosotros no miramos la televisión por la noche.

María no escribe cartas a su familia.

El profesor Martínez no enseña español.

Los perros no están en el patio.

Exercise: Make up your own negative sentences using all the verbs studied thus far.

Lesson IX - Part 2
FORMING QUESTIONS

To form a question in Spanish, place the verb in front of the subject: *¿Hablan los niños? ¿Estudia Carlos?* You may also use a question word such as *dónde* or *quién* before the verb: *¿Dónde comen los niños? ¿Quién está en el baño?* (Raising the tone of voice in a statement is likewise a way to make a question in Spanish.

Study and say out loud

¿Vende zapatos el señor López?

¿Es usted amigo de Carlos?

¿Hablan ellas español en la casa?

¿Entienden los italianos inglés?

¿Somos nosotros mexicanos?

¿Maneja María un autobús?

¿Miras tú la televisión todos los días?

¿Rompen los niños muchos juguetes?

¿Dónde compran ustedes las frutas?

¿Cuándo viajan los López a California?

¿Quién habla por teléfono en la oficina?

¿Qué idioma habla Tony?

¿Dónde viven Pablo y María?

¿Qué eres tú?

Make up your own questions using all forms, and a variety of verbs and vocabulary.
¡Muy bien, muy bien!

Review of question words

qué	(what)	*cuándo*	(when)
quién	(who)	*cómo*	(how)
dónde	(where)	*cuántos*	(how many)

Usage

¿Qué compra Lucy en el supermercado?

¿Quién está en el garage con el señor Gómez?

¿Dónde trabajan los arquitectos?

¿Cuántos estudiantes hay en la clase de español?

¿Cómo están los niños?

¿Cuántas cajas tienes?

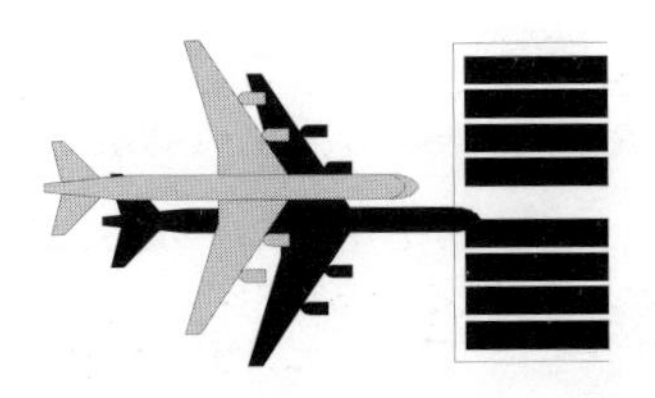

¿Cuándo sale el avión del aeropuerto de Tampa?

Lesson X - Part 1

THE VERB *TENER* (TO HAVE)

yo tengo (I have)	*nosotros tenemos* (we have)
tú tienes (you have)	
usted tiene (you have)	*ustedes tienen* (you have)
él tiene (he has)	*ellos tienen* (they have) - M / M & F
ella tiene (she has)	*ellas tienen* (they have) - F

The versatile verb *tener* has multiple uses in Spanish:

1. It expresses possession, as in English.
   Yo tengo una cartera nueva. (I have a new pocketbook.)
   Pedro tiene mucho dinero. (Pedro has a lot of money.)
2. It is used idiomatically to describe sensations, feelings or physical conditions: *tener hambre, tener sed, tener calor, tener frío, tener miedo, tener razón, tener sueño.*

Examples:
Yo tengo hambre. (I am hungry.)
El perro tiene sed. (The dog is thirsty.)
Tenemos miedo. (We are afraid.)
El niño tiene sueño. (The child is sleepy.)
Ustedes tienen razón. (You are right.)

3. *Tener* is also used to express age.
   El viejo tiene 90 años. (The old man is 90 years old.)
   El piano tiene 50 años. (The piano is 50 years old.)

4. *Tener que* is the equivalent of "have to" or "must" in English and is followed by the *ar, er* or *ir* form of the verb.
   Tom tiene que comprar un carro nuevo.
   (Tom has to buy a new car.)

Lesson X - Part 2

USING THE VERB *TENER*

Give the correct form after studying the various uses of *tener*.

Carlos ________ muchas corbatas.

Yo _________ una familia grande.

La señora Thompson _________ una nariz larga.

El doctor _________ dos oficinas en la ciudad.

¿Cuántos libros de español _________ Roberto?

Los alumnos ___________ varios cuadernos.

El hombre gordo siempre _________ hambre.

Nosotros no _____________ problemas.

¿___________ ellos mucho calor?

El perro no _________ miedo del gato.

¿Cuántos años _________ la actriz de cine?

El señor Gómez ________ que comprar un carro nuevo.

Mi alcoba ________ dos lámparas.

La casa _________ tres puertas.

Ellas ___________ muchos vestidos nuevos.

Tú ___________ que preparar la comida.

María ________ dinero en el banco.

Los abogados ___________ unos papeles importantes.

Rebeca _________ que cantar en la fiesta.

Lesson XI - Part 1

EL RELOJ - THE CLOCK
LA HORA - THE TIME

Only 1:00 o'clock to 2:00 o'clock uses the singular *es.* All other hours from 2:00 o'clock on use the plural *son.*

Es la una.	It is 1:00 o'clock.
Son las dos.	It is 2:00 o'clock.
Son las cinco.	It is 5:00 o'clock.

Son las ocho
las ocho en punto.

Son las ocho
y diez.

Son las ocho y quince
las ocho y cuarto.

Son las ocho y treinta / las ocho y media.

Son las ocho y cuarenta y cinco / las nueve menos cuarto.

Son las ocho y cincuenta / las nueve menos diez.

***¿Qué hora es?* (What time is it?)**

Write the answer in numbers:

Es la una y diez. It is 1:10.

Es la una y media.

Son las dos y veinte.

Son las tres menos cinco.

Son las cuatro y quince.

Son las cinco menos cuarto.

Lesson XI - Part 2

LA FAMILIA - THE FAMILY

El padre, Juan Gómez
La madre, Emilia de Gómez
El hijo, Samuel
La hija, María
La hijita, Cuki

padre	father	*nieto*	grandson
madre	mother	*nieta*	granddaughter
hijo	son	*yerno*	son in law
hija	daughter	*nuera*	daughter in law
hermano	brother	*abuelo*	grandfather
hermana	sister	*abuela*	grandmother
tío	uncle	*primo*	cousin (M)
tía	aunt	*prima*	cousin (F)
cuñado	brother in law	*bisabuelo*	great grandfather
cuñada	sister in law	*bisabuela*	great grandmother
sobrino	nephew	*sobrina*	niece

Let's study the family members

Andrés, abuelo y Margarita, abuela, son abuelos de Samuel, María y Cuki, sus nietos.
El tío Paco es hermano de Emilia de Gómez.
La tía Sonia, señora de Paco, es tía política.
Luis, primo, y Maribel, prima, hijos de Paco y Sonia, son primos de Samuel, María y Cuki y sobrinos de Emilia de Gómez.

Note: The adjective *político* means "in law". Example: *tíc político* = uncle by marriage.

¿QUIENES SON LOS GOMEZ?

Vamos a presentar a la familia Gómez:

Juan Gómez es un señor de unos 52 años. El es de Cuba, pero desde los 15 años de edad vive en este país. Toda su familia, padres y hermanos, vive en diferentes partes de los Estados Unidos. Juan es casado con Emilia Torres, quien es de madre americana y padre colombiano. Hace varios años que Juan y Emilia están establecidos en Miami, Florida, con sus tres hijos: Samuel, de 17 años, María, de 14 años, y Cuki, de 8 años.

Juan Gómez, un hombre gentil y agradable, es una persona bien conocida en la sociedad, puesto que él participa en varios programas cívicos, políticos y sociales. El goza de éxito en el trabajo y es gerente de un banco.

Emilia, además de ser muy dedicada a su familia, trabaja como voluntaria en hospitales y sitios de caridad por toda la ciudad. Ella también ayuda mucho en las escuelas de sus hijos. Está en la junta directiva de la Asociación de Padres de Familia (PTA) en la escuela de Cuki. Es, además, maestra de escuela sustituta en la escuela secundaria.

María es una señorita particularmente bonita pero, a la vez, es una persona modesta y sencilla. Es excelente estudiante y tiene la ambición de ser veterinaria algún día. Ella adora los animales y trabaja los sábados en un refugio para animales sin hogar. Muchas veces trae algunos de ellos para la casa, y en la actualidad tiene dos perros, cuatro gatos, una lora, dos canarios y un conejito. Dicen que es una hija ejemplar, tiene buen carácter y es muy servicial con todo el mundo.

Samuel, el hijo mayor de los Gómez, es muy popular con sus compañeros y gusta mucho a las niñas. Está dedicado a los deportes. Juega basquetbol y está en el equipo de fútbol. Sam acaba de ganarse una beca y piensa estudiar administración de empresas en una universidad en el noreste del país. Samuel, también, es buen hijo y es muy colaborador con su familia.

Cuki, una niñita un poco consentida, es bastante inquieta y traviesa. Le gusta hacer bromas, especialmente a sus hermanos y padres. De pronto esconde las pantuflas de su papá, o se pone la ropa de su hermana y pretende ser una reina de belleza, o hace la mímica de su hermano cuando habla por teléfono con la novia — todo con gran sentido del humor y una imaginación fantástica. A pesar de su mal comportamiento a veces, no se puede negar que Cuki es una niña adorable y divertida.

Lesson XII - Part 1

THE VERB *IR* (TO GO) - AN IRREGULAR VERB

Irregular verbs are those that differ somewhat from regular verbs that end in *ar*, *er* and *ir*. Since they don't follow a pattern, you may learn them through continued use.

yo voy	(I go)	*nosotros vamos*	(we go)
tú vas	(you go)		
usted va	(you go)	*ustedes van*	(you go)
él va	(he goes)	*ellos van*	(they go) - M / M & F
ella va	(she goes)	*ellas van*	(they go) - F

Supply the proper form of *ir*:

Yo _____ al banco por la mañana.

Tú _____ a la iglesia los domingos.

¿Dónde ___ Elena mañana?

El señor Gómez ___ al gimnasio los martes y los jueves.

Nosotros ________ a la casa de Pablo y María.

Ustedes no _____ a Chicago en la primavera.

Ellos _____ a la fiesta el sábado.

Note: *a + el = al* (to the), just as *de + el = del* (of the), as we have seen in the previous lesson.

Lesson XII - Part 2
Ir a - Going to (do something)

There is a similarity with this form and how we employ it in English, with the exception that the infinitive follows the conjugated verb:

Yo voy a comprar un carro. (I am going to buy a car.)
El va a vender su casa. (He is going to sell his house.)

yo voy a	(I am going to)
tú vas a	(you are going to)
usted va a	(you are going to)
él va a	(he is going to)
ella va a	(she is going to)
nosotros vamos a	(we are going to)
ustedes van a	(you are going to)
ellos van a	(they are going to) - M / M & F
ellas van a	(they are going to) - F

Fill in the blanks with the right form of the verb *ir a*:

Yo _________ *subir la escalera.*

Pedro _____ *cantar en la fiesta.*

Nosotros ___________ *comer en un restaurante.*

María _____ *estudiar la lección.*

Ustedes _____ *viajar a Puerto Rico.*

Los niños _____ *nadar en la piscina.*

Mi primo _____ *trabajar en una oficina de seguros.*

Carlos _____ *escribir una carta a su hijo.*

Usted no _____ *visitar a su abuelo.*

Los profesores no _________ *enseñar español.*

Lesson XIII - Part 1

LET'S SPEAK SPANISH

This is a valuable method of practise and study and will confirm your knowledge of Spanish.

1. Make a statement: *Pedro trabaja en un banco.*
2. Ask the question: *¿Trabaja Pedro en un hospital?*
3. Answer in the negative: *No, Pedro no trabaja en un hospital.*
4. Affirm the statement: *Pedro trabaja en un banco.*

Additional examples - stick to the pattern!

Sonia va a California en agosto.	(statement)
¿Va Sonia a Nevada en agosto?	(question)
No, Sonia no va a Nevada en agosto.	(negative)
Ella va a California en agosto.	(affirmation)

El artista vive en París.
¿Vive el artista en Londres?
No, el artista no vive en Londres.
El artista vive en París.

Nosotros vamos al restaurante los sábados.
¿Van ustedes al restaurante los viernes?
No, nosotros no vamos al restaurante los viernes.
Nosotros vamos al restaurante los sábados.

Try this exercise with each and every verb you have learned so far. When you accomplish it, you are indeed speaking Spanish. Wow... you're the greatest!

Lectura 1

Gloria Martínez tiene 16 años de edad. Ella es alta, delgada y tiene el pelo negro y los ojos verdes. Ella es muy bonita y además tiene mucho talento. Ella baila, canta y toca el piano muy bien. Gloria va a terminar pronto su educación secundaria y entonces quiere continuar sus estudios de música en Nueva York, donde hay muchas oportunidades de seguir una carrera.

Después de pasar sus vacaciones en Colorado con su familia, ella va a viajar a Nueva York a buscar un apartamento para vivir. También va a visitar a la famosa escuela de música *Juilliad*. Allá va a demostrar sus aptitudes musicales y presentar todas sus calificaciones. Ella desea matricularse en esta escuela para comenzar sus estudios en el primer semestre de otoño.

Gloria está muy feliz con estos planes. Nosotros pensamos que ella va a ser una estrella de teatro, televisión o cine, porque además de su talento, ella tiene mucha determinación. ¡Adelante Gloria! ¡Le deseamos muy buena suerte!

LECTURA 2

Roberto Pérez y su señora, Olga de Pérez, viven en Ohio en una ciudad que se llama *Greenville.* Los Pérez tienen dos hijos, ya casados, que viven en diferentes partes de los Estados Unidos. Carlos es ingeniero y está en California con su señora y sus tres hijos; Yolanda está en Baltimore, Maryland. Ella tiene un esposo que es arquitecto, y una hijita. Toda esta familia habla español porque son de Chile.

Roberto y Olga van a la Florida todos los años a pasar los meses de invierno. Ellos tienen una casita prefabricada, situada en un parque donde hay muchas personas, como ellos, retiradas, de mayor edad. Allí ellos participan en varias actividades. Roberto juega golf casi todos los días y Olga juega tenis, además de asistir a clases de pintura. En esta comunidad donde viven hay reuniones sociales y fiestas todos los fines de semana con presentaciones de músicos y grupos de artistas. Los Pérez también hacen muchos paseos en automóvil a visitar sitios de interés cultural.

En diciembre vienen los hijos y nietos a pasar la navidad y el año nuevo con los abuelos. ¡Todos se divierten mucho en la Florida!

NOMBRES

Muchachas		*Muchachos*	
Amalia	Juanita	Alberto	Javier
Ana	Julia	Alfredo	José
Anita	Josefina	Alonso	Juan
Adela	Leonor	Andrés	Julián
Alicia	Lucía	Antonio	Leonardo
Beatriz	Luisa	Benjamín	Luis
Berta	Margarita	Bernardo	Lucas
Camila	María	Carlos	Manuel
Carmen	Marta	Claudio	Mario
Carolina	Miryam	Daniel	Mauricio
Catalina	Mónica	David	Miguel
Cecilia	Ofelia	Eduardo	Omar
Claudia	Olga	Enrique	Pablo
Consuelo	Patricia	Federico	Paco
Cristina	Rebeca	Felipe	Pedro
Elena	Sara	Fernando	Rafael
Elisa	Susana	Francisco	Raúl
Elsa	Sylvia	Gregorio	Ricardo
Elvira	Teresa	Guillermo	Roberto
Esperanza	Ursula	Gustavo	Samuel
Francisca	Verónica	Jorge	Simón
Gloria	Vivian	José	Tomás
Inés	Waleska	Hugo	Vicente
Irene	Yolanda	Ignacio	Víctor

INTRODUCTION
COURSE II

SAILING WITH SPANISH is a progressive and easy method of study designed to make the reader want to turn each page to see what comes next. It proves that grammar need not be laborious and boring, but rather exciting and fun.

The theory of learning verb by verb, allowing the other parts of speech to fall into place, with little story illustrations, has produced many successful students of all ages and walks of life who sincerely want to express themselves in the Spanish language.

So let's cruise along with our course and enjoy the journey.

¡Feliz viaje!

Lesson XIV - Part 1

USE OF ARTICLES

THIS, THAT, THESE, THOSE

M	F	M. plural	F. plural
este - this	*esta* - this	*estos* - these	*estas* - these
ese - that	*esa* - that	*esos* - those	*esas* - those

Examples:

Este banco es grande. (This bank is big.)

Ese banco es pequeño. (That bank is small.)

Estos edificios son nuevos. (These buildings are new.)

Esos edificios son viejos. (Those buildings are old.)

Esta flor es roja. (This flower is red.)

Esa flor es rosada. (That flower is pink.)

Estas calles son bonitas. (These streets are pretty.)

Esas calles son feas. (Those streets are ugly.)

Aquel is another way to say "that" - a further distance away.

aquel hombre	that man
aquella mujer	that woman
aquellos hombres	those men
aquellas mujeres	those women

Use *este/esta*

_______ *parque*
_______ *cuarto*
_______ *camisa*
_______ *escuela*
_______ *avión*
_______ *restaurante*

Use *ese/esa*

_____ *mesa*
_____ *gato*
_____ *señor*
_____ *ciudad*
_____ *puerta*
_____ *hospital*

Use *estos/estas*

_______ *cocinas*
_______ *cuadros*
_______ *semanas*
_______ *vasos*
_______ *automóviles*
_______ *pianos*

Use *esos/esas*

_____ *almacenes*
_____ *regalos*
_____ *lápices*
_____ *días*
_____ *sistemas*
_____ *salas*

Ellos van a esa iglesia.

Lesson XIV - Part 2

HOW DO YOU SAY...
(CÓMO SE DICE)

Cómo se dice: **Answer:**

Example:

Where is that avenue? *¿Dónde está esa avenida?*

That cat is black and white. ____________________

We go to Providence this week. ____________________

Those plates are pretty. ____________________

This living room is very big. ____________________

Those girls go to school in Miami. ____________________

____

These gifts are for María's birthday. ____________________

____

Do we travel to that city on Tuesday? ____________________

____

He is in that hospital. ____________________

Those books are Patty's. ____________________

These are my Spanish lessons. ____________________

Expressions for daily use:

a pesar de	in spite of
a veces	sometimes
en realidad	really, in reality
además	besides, also
no hay nada qué hacer	there's nothing we can do
así, así	so, so
ayudar a	to help to
dar un paseo	to take a walk, ride, excursion
alguna cosa	anything
de pronto	all of a sudden
no me importa	I don't care, it doesn't interest me

Useful adverbs

a veces	sometimes	*ahora*	now
frecuentemente	frequently	*allá*	there
usualmente	usually	*aquí*	here
generalmente	generally	*siempre*	always
constantemente	constantly	*nunca*	never
probablemente	probably		

Practise sentences:

Generalmente, hay mucha gente en ese restaurante a la hora del almuerzo.

En realidad, la política no me importa pero a veces es bastante interesante.

Frecuentemente, mi gato rompe alguna cosa en la casa.

En el invierno, usualmente viajamos a la Florida.

Ahora, voy a cine con mis amigos.

Note: Make up some sentences with these expressions and adverbs.

Lesson XV - Part 1

PREPOSITIONS, PREPOSITIONAL PHRASES

We have practised the prepositions *en*, *a*, *de*, and *con* in previous lessons and have seen their various uses... in daily conversation we frequently use the following prepositional phrases:

encima de - on top of
debajo de - under, underneath
al lado de - next to
cerca de - near
adentro de - inside
sobre - over
en frente de - in front of
detrás de - in back of
alrededor de - around, encircling
delante de - before, in front of
afuera de - outside
entre - between

Reading practise:

Los lápices están encima del escritorio en el cuarto de Juan.
La gata de María está debajo del sofá en la sala.
El señor Chávez está en el hospital que está al lado de la farmacia.
Hay un parque hermoso cerca de mi casa.
José espera a María en frente de ese teatro.
Los niños juegan fútbol detrás de la escuela.
Alrededor de ese edificio hay muchos árboles inmensos.
Esos alumnos están sentados delante de la maestra.
Hay una mesita entre las dos sillas rojas.
El vive al lado de un río en un pueblo de Argentina.
Hay un retrato de la Monalisa sobre el piano.

Lesson XV - Part 2

Answer the questions with a prepositional phrase of your choice:

¿Dónde están los niños?

¿Dónde está el banco?

¿Dónde está la estación de policía?

¿Dónde está el teatro?

¿Dónde están los gatos?

¿Dónde están los papeles del contador?

¿Dónde está el estado de Alabama?

¿Dónde están sus zapatos?

¿Dónde están los platos?

¿Dónde está el supermercado?

¿Dónde está el juguete del nené?

¿Dónde está el perro?

El perro está en frente del árbol.

Lesson XVI - Part 1

A LOOK AT IRREGULAR VERBS

As we have seen in previous lessons, the "regular" verbs end in *ar*, *er* and *ir* and follow a comprehensive pattern... the irregular verbs change slightly in the first person singular (yo), then continue with the same consistency.

El verbo *hacer* (to do or to make)

yo hago (I do, make)	*nosotros hacemos* (we do, make)
tú haces (you do, make)	
usted hace (you do, make)	*ustedes hacen* (you do, make)
él hace (he does, makes)	*ellos hacen* (they do, make) M / M&F
ella hace (she does, makes)	*ellas hacen* (they do, make) F

In Spanish there is only one verb to express "do" or "make":

Ustedes hacen la comida todas las noches. (You make dinner every night.)

Pedro hace su trabajo en la oficina. (Pedro does his work in the office.)

Ella hace ejercicio aeróbico. (She does aerobic exercise.)

El verbo *dar* (to give)

yo doy	(I give)	*nosotros damos*	(we give)
tú das	(you give)		
usted da	(you give)	*ustedes dan*	(you give)
él da	(he gives)	*ellos dan*	(they give) M/M&F
ella da	(she gives)	*ellas dan*	(they give) F

El verbo *saber* (to know)

yo sé	(I know)	*nosotros sabemos*	(we know)
tú sabes	(you know)		
usted sabe	(you know)	*ustedes saben*	(you know)
él sabe	(he knows)	*ellos saben*	(they know) M / M&F
ella sabe	(she knows)	*ellas saben*	(they know) F

Give the correct form of the verb:

La profesora ____ los libros de español a los estudiantes. (*dar*)

Yo no ____ mi lección muy bien. (*saber*)

Tú __________ ejercicios en el patio de tu casa. (*hacer*)

Los padres ______ un carro nuevo a su hijo. (*dar*)

¿Quién ________ la respuesta a la pregunta? (*saber*)

Juan ________ su tarea muy bien. (hacer)

Lesson XVI - Part 2

MORE IRREGULAR VERBS

The conjugation of *querer* (to love, to like, to want, to wish)

yo quiero	*nosotros queremos*
tú quieres	
usted quiere	*ustedes quieren*
él quiere	*ellos quieren*
ella quiere	*ellas quieren*

Examples:

Yo quiero un carro nuevo. I want a new car.

Tú quieres a tu madre. You love your mother.

El quiere a sus amigos. He likes his friends.

Ellos quieren tener mucho dinero.
They wish to have a lot of money.

The conjugation of *poder* (to be able, can)

yo puedo	*nosotros podemos*
tú puedes	
usted puede	*ustedes pueden*
él puede	*ellos pueden*
ella puede	*ellas pueden*

Poder and *querer* are also auxiliary verbs (helping verbs) used with another verb in the infinitive form.

Examples:
puedo comprar, puedo estudiar, puedo escribir
quiero hablar, quiero vender, quiero vivir

Pedro quiere comprar una casa en el campo.
Pedro wants to buy a house in the country.
Tony no puede escribir en alemán.
Tony cannot write in German.
Ellos pueden viajar a Europa el año próximo.
They are able to travel to Europe next year.
Las actrices quieren vivir en Hollywood.
The actresses want to live in Hollywood.

The conjugation of *venir* (to come)

yo vengo	*nosotros venimos*
tú vienes	
usted viene	*ustedes vienen*
él viene	*ellos vienen*
ella viene	*ellas vienen*

Give the correct form:

Yo _________ *a la clase temprano.*

Ellos ___________ *a la clase tarde.*

Other irregular verbs:
poner, caer, traer, oir, sentir, decir

Lesson XVII- Part 1
STEM-CHANGE VERBS

Some verbs with *e* change to *ie*:

Example: *pensar* - to think

yo pienso	*nosotros pensamos*
tú piensas	*ustedes piensan*
él/ella piensa	*ellos/ellas piensan*

Notice that *nosostros* does not change.

comenzar - to begin	*cerrar* - to close
entender - to understand	*sentir* - to feel, regret
defender - to defend	*preferir* - to prefer

Some verbs change from *o* to *ue*:

Example: *dormir* - to sleep

yo duermo	*nosotros dormimos*
tú duermes	*ustedes duermen*
él/ella duerme	*ellos/ellas duermen*

mostrar - to show	*contar* - to relate, to count
volver - to return	*morir* - to die
jugar - to play	*recordar* - to remember

El niño duerme en brazos de la mamá.

Sentence Practise

Commands:

¡Muéstrame tus dientes!	Show me your teeth!
¡Piénselo usted cuidadosamente!	Think about it carefully!
¡Hijo, vuelve temprano a casa!	Son, come back home early!

Give the correct form of the verb:

Pablo ___________ *a la casa temprano. (volver)*

¿Cuánto ______________ *los tiquetes para el cine? (costar)*

Yo ___________ *mucho que no puedo ir a la fiesta. (sentir)*

¿Qué _____________ *tú de la situación política? (pensar)*

Usted no ______________ *la pregunta. (entender)*

Los niños ___________ *en el patio de la casa. (jugar)*

Now write some sentences with your own stem-change verbs... keep on cruising!

Lesson XVII- Part 2

Gustar - To like

To understand the verb *gustar* think reversely. For example, *me gusta el vino* (I like wine) becomes wine likes me. Another way is to think "to please". For example, *le gusta la lección a Carlos* (Carlos likes the lesson) or, the lesson pleases Carlos.

Note the plural form:

Me gusta el libro
Me gustan los libros

Conjugation:

me gusta	I like
te gusta	you like
le gusta	you, he, she likes
nos gusta	we like
les gusta	you, they like

Give the correct form:

Example: *A Juan* ______ *el cine.*

A Juan le gusta el cine.

A mis gatos ______________ *la carne.*

A mí no ________________ *el frío.*

A nosotros no _________________ *las verduras.*

A Rebeca _______________ *estudiar español.*

A ellos ___________________ *las fiestas.*

Note: Use *a mí*, *a usted*, *a ellos* for clarity as needed.

Un pequeño cuento
A little story

Los tíos de la familia Gómez vienen a visitar frecuentemente. Ellos van a llegar el sábado próximo de California. Los niños Gómez quieren mucho a sus tíos y saben que los tíos siempre traen regalos bonitos... toda la familia Gómez hace preparativos para la visita y ponen la casa en orden. La señora Gómez compra el mercado y decide lo que va a preparar para las comidas. El señor Gómez y el hijo, Manuel, cortan la hierba y lavan el automóvil. María y Cuki ayudan a la mamá a limpiar la casa - pero a Cuki no le gusta trabajar. No quiere cooperar y resulta una pelea entre María y Cuki.

Dice Cuki, "¡No quiero limpiar el polvo, no quiero ordenar mi cuarto y no quiero hacer nada!"

Hay gran disgusto entre las dos hermanas y Cuki sale corriendo al patio a jugar con su perro y sus dos gatos.

A pesar de la protesta de María, todo termina bien, aunque sabemos que Cuki es una niña traviesa, pero no hay nada qué hacer.

Margarita y Mario, los tíos, llegan al aeropuerto a tiempo. La familia Gómez está allí para recibirlos. Hay muchos abrazos, risa y conversación animada. Los tíos encuentran la casa muy hermosa y arreglada. La comida que hace Emilia de Gómez esa noche es deliciosa. Los tíos están muy felices y pasan una temporada espléndida con sus parientes, los Gómez.

Note: Notice that we have employed the irregular verbs *venir, hacer, poner, traer, saber, salir* and *querer* in this little story. You can do the same. Invent a little situation in which you include a few of these verbs. Have fun with it!

Lesson XVIII - Part 1

THE PREPOSITIONS *PARA - POR*

These two prepositions merit a lot of attention, since they have various meanings. In a general sense *para* indicates purpose or reason why.

Examples:

Tengo un vestido nuevo para ir a la fiesta.
El va a Chicago para visitar a su tío.

The preposition *por* indicates by or through.

Examples:

Hay flores lindas por el camino.
Entramos por la puerta principal.

Other uses:

Para is used for destination:
El avión sale para Boston mañana.
Por is used in types of measurement:
El carro va a 50 millas por hora.
La carne cuesta ocho dólares por libra.

Para and *por* are also used idiomatically:

para decir la verdad - to tell the truth
para que - in order that
por acaso - in case
por ejemplo - for example
gracias por - thanks for
por favor - please

Por is also used for method of travel:

por tren, por bus, por avión, por carro

Use *para* or *por* in the following sentences:

Vamos a Nevada _______ pasar las vacaciones.

No vamos _______ avión, vamos _______ carro.

Los niños compran regalos _______ el día de la madre.

Yo compro pescado _______ la comida.

Compro el pescado _______ libra en el supermercado.

Yo estudio español _______ viajar a España.

Los perros salen _______ la puerta del patio.

Ellos miran la televisión _______ la noche.

______ decir la verdad, Roberto no maneja bien.

La abuela de Lucía prepara un pavo _______ el Día de las Gracias.

Make up your own sentences with *para* and *por*. Vary your verbs.

Estas flores son para ti.

La familia Sánchez hace un viaje por carro.

Lesson XIX - Part 1

Comida - Food
Alimentos - Food
Comestibles - Foodstuffs

carne - meat
carne de vaca (res) - beef
pollo - chicken
pescado - fish
cerdo - pork
cordero - lamb
ternera - veal
rosbif - roast beef
chuleta de cerdo/cordero - porkchop / lambchop

Frutas **- Fruits**

unas manzanas - apples
un melón - melon
unas naranjas - oranges
unas peras - pears
unas ciruelas - prunes
unos duraznos - peaches
una piña - pineapple
unas uvas - grapes
unos limones - limes

Legumbres **- Vegetables**

la lechuga - lettuce
el tomate - tomato
el pimiento - pepper
el pepino - cucumber
la zanahoria - carrot
la habichuela - green bean
los fríjoles - beans (kidney)
los champiñones - mushrooms
la espinaca - spinach
brócoli / brécol - broccoli
la calabaza - squash
el calabazín - zuccini
la cebolla - onion
el ajo - garlic
el rábano - radish
la remolacha - beet

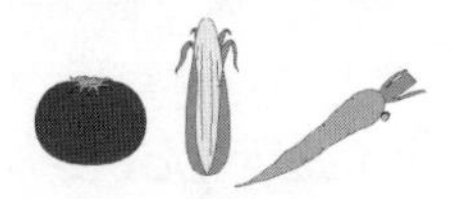

Note: *verduras* - cooked or prepared vegetables

Lesson XIX- Part 2

El menu de la señora Gómez - Cocinera

Emilia de Gómez es una cocinera excelente. A ella le gusta preparar platos de diferentes países. Ella hace comida italiana, griega, china y comida típica de Latinoamérica, entre otras.

Los viernes ella compra todos los comestibles. Primero, va a una carnicería donde el carnicero pesa las carnes por libra - y son bien tiernas, con poco gordo. Emilia compra carne de res, de cordero, de ternera y además, chuletas de cerdo. Allá también compra los pollos partidos en trozos.

Después, ella pasa a la frutería al lado, para conseguir una variedad de frutas y legumbres. Le gusta mucho a Emilia este almacén porque todo allí es muy fresco.

Su última parada es en el supermercado, donde selecciona una gran cantidad de los demás víveres.

Cuando regresa a casa, Emilia planea su menú para el próximo sábado, cuando viene a cenar un grupo grande de amigos e invitados.

Emilia de Gómez decide poner un gran buffet que contiene lo siguiente:

rosbif americano
albóndigas rusas en salsa de ciruelas
arroz hawaiiano con champiñones
langostinos al curry
tomates rellenos al estilo italiano
hojas de uva rellenas al estilo griego
ceviche centroamericano
ensalada de verduras con salsa vinagreta
ensalada de frutas con hierbas
quesos importados de Holanda y de Suiza
pan hecho en casa
Postres:
ponqué de pistachio
pastel de limón
flan español

¡Qué banquete tan delicioso!

Lesson XX - Part 1

Direct and Indirect Object pronouns

A direct pronoun is the person or thing receiving action:

I see her - *Yo la veo*

I buy it - *Yo lo compro*

The indirect pronoun indicates for whom something is done:

Carmen gives him a present - *Carmen le da un regalo*

Juan teaches them English - *Juan les enseña inglés*

These direct and indirect object pronouns come right before the verb.

Pattern of Direct Object Pronouns

me - me	*nos* - us
te - you	*los* - you (plural)
lo - it	*les* - them (M, M /F)
le - him, you	*las* - them (F)
la - it, her	

Read and Study

1. Yo llamo a María - la llamo.

2. Tú traes el libro a la clase - lo traes a la clase.

3. Usted hace la tarea - la hace.

4. Pablo ve a María en el banco - Pablo la ve en el banco.

5. Nosotros abrimos las ventanas - las abrimos.

6. La profesora explica la lección - la explica.

7. ¿Vende él su carro? - ¿lo vende?

Lesson XX - Part 2

With indirect pronouns there are some differences: for example, in using *a él*, *a ella*, *a usted*, the pronoun *le* is employed; in using *a ellos*, *a ellas*, *a ustedes*, the pronoun *les* is employed.

Read and Study

Pedro le escribe a su madre cada semana (a ella).
Los alumnos le traen flores a la profesora (a ella).
Mi hijo me manda cartas de Puerto Rico (a mí).
La secretaria les prepara el trabajo de la oficina (a ellos).
Carlos no les dice la verdad a sus hermanas (a ellas).
Nosotros les compramos dos bicicletas (a los niños).
Yo le envío mi renuncia mañana (a usted).

Change the italicized words to the correct direct pronoun:

Ex.: Yo compro *el libro* en la librería.
Yo lo compro en la librería.

1. Gloria prepara *la comida* para su familia.
2. El niño abre *la puerta*.
3. La directora recibe *la invitación* con gusto.
4. Ustedes mandan *las flores* a sus amigos.
5. Pedro hace *el trabajo* temprano.

Give the correct indirect pronoun:

1. El _____ habla de historia. (*a mí*)
2. El policía _____ ofrece ayuda a la viejita. (*a ella*)
3. Pedro _____ vende su casa. (*a ellos*)
4. Yo no _____ explico el problema. (*a ti*)
5. Tony _____ manda flores. (*a ellos*)

Lectura

EL DÍA COMPLICADO DEL SEÑOR GÓMEZ

Juan Gómez siempre va al trabajo temprano los lunes porque ese día hay mucho qué hacer. Al llegar allí, él llama a sus socios, Thompson y Martínez, a su oficina para discutir los asuntos de prioridad. A ellos les da la información pertinente para poder cumplir con sus labores. Su secretaria, Miryam, le escucha cuidadosamente, porque ella bien sabe que es su propia responsabilidad y muchas veces salva al señor Gómez de problemas serios, gracias a su eficiencia.

Juan Gómez procede a organizar sus papeles y luego les manda un e-mail a varios dueños de negocios en Sur y Centroamérica para ofrecerles su nueva línea de productos plásticos. Por lo general, los negociantes de Venezuela y Colombia le responden favorablemente.

Después, se comunica con la ciudad de Houston, Texas,donde se fabrican los productos, y desafortunadamente, descubre que no los tienen listos para enviar todavía.

A Juan no le va muy bien ese día. Le parece que todo funciona mal. No recibe ninguna respuesta de los países extranjeros, Houston está atrasado con los pedidos y todavía tiene mucha correspondencia encima del escritorio para organizar. Tiene que informarle a Emilia, su esposa, que va a llegar tarde. La llama por teléfono pero no la encuentra.

En ese momento entra la secretaria a su oficina y le cuenta a su jefe que el señor Thompson, quien es la mano derecha del señor Gómez, está enfermo y tiene que ir al médico.

Juan se siente abrumado y exclama con desesperación, "¡Qué día tan complicado!".

Note: Notice the use of direct and indirect object pronouns in this *lectura.*

Lesson XXI- Part 1

El reflexivo - Reflexive Verbs

When someone or something (subject noun or pronoun) performs an action on himself or itself, it is called "reflexive".

Commonly used reflexive verbs are:

me levanto	I get up
me peino	I comb my hair
me baño	I bathe
me afeito	I shave
se desayuna	he/she eats breakfast
se aburre	he/she gets bored
se va	he/she goes (takes off)
se pone	he/she puts on

You will note that there are many reflexive verbs in Spanish that are not reflexive in English.

The conjugations are as follows:

levantarse

me levanto	I get up
te levantas	you get up
se levanta	you/he/she get(s) up
nos levantamos	we get up
se levantan	you/they get up

bañarse

me baño	I bathe
te bañas	you bathe
se baña	you/he/she bathe(s)
nos bañamos	we bathe
se bañan	you/they bathe

Lesson XXI- Part 2

FRASES PARA PRACTICAR EL REFLEXIVO

El señor Gómez nunca se cansa de trabajar. Aun los sábados se encuentra ocupado.

Cuando se afeita por las mañanas a veces se corta, porque siempre tiene prisa.

Como Sam sale tempranito para la universidad no se desayuna, sólo se toma un café. El almuerza en la cafetería.

María se arregla y se viste con mucho cuidado todos los días. Se pone ropa muy bonita.

La señora Emilia de Gómez se baña después de organizar sus oficios para el día. Ella, también, se mantiene ocupadísima.

La mamá de Cuki se pone brava con ella porque a Cuki no le gusta peinarse, y le dice a Cuki, "Si no se peina, se queda castigada en casa hoy." Al fin, Cuki se peina porque ella sabe que se aburre cuando no puede salir a jugar con sus amiguitas.

El tío Raúl se rompió la pierna.

Lesson XXII- Part 1
EL PRETÉRITO - PAST TENSE

The past tense in Spanish is comparable to the past tense in English. It describes an action that has already taken place in the past, an action that is completed, finished: *Yo compré un carro nuevo* (I bought a new car); *El comió pizza ayer* (He ate pizza yesterday).

AR verbs: *hablar* (to speak)

yo hablé (I spoke)	*nosotros hablamos*(we spoke)
tú hablaste (you spoke)	
usted habló (you spoke)	*ustedes hablaron* (you spoke)
él habló (he spoke)	*ellos hablaron* (they spoke) M / M&F
ella habló (she spoke)	*ellas hablaron* (they spoke) F

Read and study:

Nosotros viajamos a California el año pasado.

Los Gómez compraron un apartamento en Miami.

Pedro estudió inglés en Inglaterra.

María no bailó en la fiesta de su cumpleaños.

Tú compraste mucha ropa en Nueva York.

¿Cuántas personas invitaron ustedes a la reunión?

Yo hablé con mi amiga ayer por teléfono.

Lesson XXII - Part 2

ER verbs: *comer* (to eat)

yo comí (I ate)	*nosotros comimos* (we ate)
tú comiste (you ate)	
usted comió (you ate)	*ustedes comieron* (you ate)
él comió (he ate)	*ellos comieron* (they ate) M/M&F
ella comió (she ate)	*ellas comieron* (they ate) F

Read and study:

1. Yo comí en la cafetería ayer.
2. ¿Vendieron ellos su casa por 150,000 dólares?
3. María no entendió el problema de matemáticas.
4. Tu bebiste demasiado vino en la fiesta.
5. Los niños comprendieron bien la lección.

IR verbs: *vivir* (to live)

yo viví (I lived)	*nosotros vivimos* (we lived)
tú viviste (you lived)	
usted vivió (you lived)	*ustedes vivieron* (you lived)
él vivió (he lived)	*ellos vivieron* (they lived) M/M&F
ella vivió (she lived)	*ellas vivieron* (they lived) F

Read and study:

1. ¿Cuánto tiempo vivió Tomás en México?
2. El avión salió para París a las tres de la tarde.
3. Tú escribiste cartas toda la mañana.
4. El gato subió el árbol de manzanas.
5. Abrimos todas las ventanas anoche.

Words and phrases for past tense

ayer	yesterday
anoche	last night
antes de ayer	the day before yesterday
la semana pasada	last week
el mes pasado	last month
el año pasado	last year
hace tres días	three days ago
hace dos horas	two hours ago
hace un mes	a month ago
hace cinco años	five years ago

Apply the proper verb:

1. Los niños ____________ en el parque el sábado. (jugar)

2. Paco ____________ en Guatemala por diez años. (vivir)

3. Nosotros ___________ una película excelente ayer. (ver)

4. Roberto _____________ una carta a su tía la semana pasada. (escribir)

5. ¿A dónde __________ los Gómez el año pasado? (viajar)

6. Miguel ____________ idiomas en la Universidad de la Florida. (estudiar)

7. Nosotros _______________ nuestra casa en la primavera pasada. (vender)

8. Yo no _______________ la pregunta. (entender)

9. Los bomberos ________________ el incendio rápidamente. (apagar)

10. Tú nunca ______ mariscos en Nueva Orleans. (comer)

Lesson XXIII - Part 1

The Imperfect (past tense)

El imperfecto

The imperfect past tense is used in the following ways:

1. A past habitual action, or "used to": *Sofía bailaba flamenco en el teatro cuando vivía en Madrid*... Sofia used to dance Flamenco when she lived in Madrid.

2. An action that was happening at a certain moment: *Juan paseaba en su nuevo Jaguar cuando vio a una linda chica en la calle*... Juan was riding in his new Jaguar when he saw a pretty girl in the street.

3. A description of something old or in the past: *La iglesia era vieja y tenía ventanas hermosas*... The church was old and had beautiful windows.

4. To express feelings and attitudes: *Tony quería mucho a su perro dálmata y estaba orgulloso de él cuando ganó un premio*... Tony loved his Dalmatian a lot and felt proud of him when he won a prize.

5. To indicate season, time or date: *Viajábamos siempre a París en la primavera cuando hacía buen tiempo y los jardines estaban en flor*... We always travelled to Paris in Spring, when the weather was nice and the gardens were in bloom.

Lesson XXIII- Part 2

CONJUGATIONS - *CONJUGACIONES*

estudiar (to study)

yo estudiaba	*nosotros estudiábamos*
tú estudiabas	
usted estudiaba	*ustedes estudiaban*
él estudiaba	*ellos estudiaban*
ella estudiaba	*ellas estudiaban*

leer (to read)

yo leía	*nosotros leíamos*
tú leías	
usted leía	*ustedes leían*
él leía	*ellos leían*
ella leía	*ellas leían*

vivir (to live)

yo vivía	*nosotros vivíamos*
tú vivías	
usted vivía	*ustedes vivían*
él vivía	*ellos vivían*
ella vivía	*ellas vivían*

Lectura

Tomás del Ecuador, el gran jugador

Tomás Valencia vivía en el Ecuador, pero viajaba con frecuencia a Las Vegas para pasar una temporada, porque le fascinaba esa ciudad.

Se quedaba en el hotel *Las Palmas,* donde todo el mundo lo conocía y lo trataba en forma especial.

Tomás acostumbraba levantarse tarde, se comía un gran desayuno, se arreglaba con esmero y procedía a hacer planes con los amigos... tenía muchas amistades en Las Vegas, incluyendo una amiga que conocía hace tiempos, de nombre Eva, a quien él invitaba a los teatros y espectáculos de artistas famosos. Ellos paseaban en un Cadillac convertible que Tomás alquilaba para ocasiones especiales. Eva estaba conforme con la situación porque su Donjuan ecuatoriano siempre le traía lindos regalos del Ecuador y la atendía como una princesa en Las Vegas. ¡Qué estupendo!

Sin embargo, la verdad era que Tomás Valencia era un gran jugador y le gustaba mucho jugar a la ruleta y a las cartas. Las Vegas tenía esa fascinación para él — poder jugar día y noche. Eso era su vicio.

A veces Tomás perdía bastante dinero, pero se animaba cuando, de vez en cuando, ganaba una cantidad apreciable.

Al fin, cuando se acababan los fondos que traía, Tomás Valencia tenía que volver al Ecuador. Allí trabajaba como administrador en la hacienda de sus padres, donde tenían ganado de cría para exportación.

Después de las ventas de junio, Tomás planeaba nuevamente su regreso a los Estados Unidos, donde finalmente su estadía terminaba en los casinos de Las Vegas.

Lesson XXIV- Part 1

COMMANDS - *IMPERATIVO*

AR verbs add ***E***, ***EN*** to stem: *habl/ar - hable*

hable	*hablen*	
mire	*miren*	For *usted*
compre	*compren*	and *ustedes*
estudie	*estudien*	
trabaje	*trabajen*	

Example: *Trabaje (usted) bien.*
Hablen (ustedes) claramente.

ER and ***IR*** verbs add ***A***, ***AN*** to stem: *com/er - come*

coma	*coman*	
venda	*vendan*	For *usted*
beba	*beban*	and *ustedes*
viva	*vivan*	
escriba	*escriban*	
insista	*insistan*	

habla	*come*	
mira	*vende*	For *tú*
compra	*bebe*	
estudia	*vive*	
trabaja	*escribe*	

Example: *Estudia (tú) la lección.*
Estudien (ustedes) la lección (for familiar and formal).
Come (tú) la comida.
Vivan (ustedes) felizmente.

Examples: Supply the correct form

Carlitos, (esperar) _________ hasta las dos de la tarde. (tú)

(Vivir) ________ la vida loca. (usted)

(Comprar) _____________ las legumbres en la tienda mexicana. (ustedes)

Niño Robertico, (tomar) ________ toda la leche y (comer) ________ la espinaca. (tú)

(Hablar) ___________ con la profesora sobre la tarea. (ustedes)

No (mirar) __________ esos programas malos en la televisión. (tú)

(Trabajar) ___________ duro y tendrá éxito. (usted)

No (invitar) _____________ más que 20 personas a la fiesta. (ustedes)

No (fumar) __________ y tendrán mejor salud. (ustedes)

(Explicar) _______________ la lección claramente, por favor. (usted)

Direct objects are placed at the end of the verb.

mírame - look at me
tráigalo - bring it
cómprelos - buy them
invítela - invite her

Lesson XXIV- Part 2

SOME IRREGULAR VERBS - COMMAND FORM

ponga (poner)	*diga (decir)*	
traiga (traer)	*salga (salir)*	For *usted*
haga (hacer)	*vaya (ir)*	
venga (venir)	*oiga (oír)*	

ten (tener)	*pon (poner)*	
haz (hacer)	*ven (venir)*	For *tú*
ve (ver)	*di (decir)*	

Examples: Supply the correct form

Por favor (venir) __________ temprano a la fiesta. (ustedes)

Mis estudiantes, ¡(hacer) __________la tarea de español con entusiasmo! (ustedes)

(Poner) ________ tu abrigo porque hace frío hoy. (tú)

No (permitir) _______________ que fumen en el patio. (ustedes)

No (hacer) _________ ruido porque el bebé está dormido. (usted)

(Tener) _______ cuidado al cruzar la calle. (tú)

Now make up your own similar sentences. Think of how often you use the command form daily and be inspired!

Lesson XXV - Part 1

DESCRIPTIVE ADJECTIVES - *ADJETIVOS DESCRIPTIVOS*

grande	big, large / big and tall
gran	great, big
costoso	expensive
barato	cheap
económico	inexpensive, economical
antiguo	antique
alegre, feliz	happy
capaz	capable, able, smart
eficaz, eficiente	efficient
hábil, listo	clever, intelligent
infeliz	unhappy, wretched (in bad shape)
incapacitado	disabled
desconocido	unknown
emocionado	excited
entusiasmado	enthusiastic
lamentable	regrettable, pitiful
desconsolado	distressed, in despair
popular	popular
venenoso	poisonous
cariñoso	affectionate, loving
colorado	red (blushing)
consciente	conscious
competitivo	competitive
cordial	cordial
cortés, atento	polite
loco	crazy
orgulloso	proud
inolvidable	unforgettable
honesto	honest
deshonesto	dishonest
ruidoso	noisy

accidental	accidental
afortunado	lucky
desafortunado	unfortunate, unlucky
vergonzoso	disgraceful
cruel	cruel
conocido	known
desagradable	unpleasant
antipático	disagreeable
agradecido	grateful
verdoso	greenish
azuloso	bluish
amarilloso	yellowish
rojizo	reddish

Sentence Study

Los Gómez tienen una tía que es antipática.
María es una niña muy capaz.
Samuel quería un carro barato.
Estuvimos desconsolados cuando perdimos nuestro perrito.
Estaban orgullosos de Cuki cuando ganó la competencia de natación.
La estadía en Europa fue inolvidable.
Me gustan esas flores azulosas.
El senador es muy cortés con todo el mundo.
¡Qué afortunado fue el ganador de la lotería!

Note: todo = all

todo el mundo	everybody	
todos los días	every day	
todos los años	every year	etc.

Lectura

Actividades del Día de Navidad del año 2003

El día 25 de diciembre toda la familia Gómez se levantó temprano. Cuki corrió hacia el árbol de Navidad para ver los regalos que dejó el Papá Noel, seguida por su papá, su mamá y sus hermanos, Samuel y María. Con mucha alegría los Gómez abrieron paquetes — ¡y qué cantidad! Santa fue especialmente generoso.

El señor Gómez recibió una caja de herramientas. A él le gusta la carpintería. También le dieron muchas otras cosas, incluyendo dos corbatas lindísimas.

La señora Gómez se alegró mucho de ver toda una colección de libros de cocina, más un lindo collar de perlas que le regaló su marido.

Samuel estuvo contento de ver su nueva cámara de video, y la novia le regaló un estilógrafo de oro.

María recibió mucha ropa: blusas, faldas, carteras, zapatos y una chaqueta de cuero fino.

Cuki brincó y gritó al ver su bicicleta nueva. No prestó atención a las prendas de ropa, excepto los dos vestidos de baño, porque ella está en clases de natación y dice que va a ser una nadadora olímpica.

El perro Maxi ayudó a abrir los paquetes, rompiendo todo el papel. Maxi saltó y ladró locamente al ver su propio juguete, un osito de felpa.

Mientras tanto la gata, Misifú, miraba la escena con cierto desinterés, pero se animó cuando Cuki le dio unas galleticas especiales para gato que le gustan muchísimo.

La familia Gómez se divirtió inmensamente abriendo los regalos de Navidad.

Por la tarde vinieron varias personas de la familia a celebrar y gozar de la deliciosa comida que hizo Emilia de Gómez.

El 25 de diciembre es el cumpleaños de Juan Gómez, así que también gozaron de un gran ponqué de chocolate para celebrar sus 45 años.

Fue un día de pascuas inolvidable.

Lectura

LA PERRITA DE LA SEÑORA HIDALGO

Un día Cuki y su amiguita, Pati, estaban caminando por un camino llamado *Friendly Trail*, donde se veían muchos ciclistas, gente corriendo y personas paseando sus perros. Cuki y Pati conversaban sobre lo que hicieron ese día en la escuela. De paso, venía por el otro lado del camino la señora Hidalgo con Flufy, su perrita "caniche", que acababa de salir del salón de belleza para perros y estaba muy elegante, con su cinta rosada en la cabezita, caminando como una campeona... A propósito, a Cuki nunca le había gustado la señora Hidalgo porque era muy antipática con los niños.

Ahora, Cuki le decía a Pati, "Tuvimos una clase de español muy divertida hoy. Yo quería saber cómo se dice 'bow wow' en español.

Dijo Pati, "Y bueno, cómo se dice 'bow wow'?"

Cuki le contestó, "Guau guau".

"¿Qué?", preguntó Pati.

Cuki le repitió con voz más fuerte, y cuando Pati no le podía entender, Cuki gritó durísimo, "¡Guau guau; guau guau, guau guau guau!".

Flufy, entonces, se asustó, y de repente, se echó a correr como un rayo, con su dueña detrás agarrada a la correa.

"¡Pare, pare!", gritaba la señora Hidalgo. Pero Flufy no se detuvo hasta llegar a un pequeño parque cerca donde unos niños estaban jugando en un corral de arena. Se metió con ellos a jugar, saltando y ladrando felizmente. Los niños y Flufy brincaban y gozaban cantidades.

La señora Hidalgo, furiosa y exasperada, exclamaba, "¡Ay, mi Flufy, ay, qué niña tan malvada esa Cuki, Fluficita, mira cómo te ensuciaste, ay, qué horror, ay, ay ay...!".

Mientras tanto, Cuki y Pati, sentadas en el andén del camino, se reían a carcajadas. Estaban verdaderamente atacadas de la risa y no podían parar de reírse... finalmente, Cuki no tenía la culpa, ¿no es cierto?

Lectura

Juan Gómez se Opera de Emergencia

Un día, hace más o menos tres meses, el señor Gómez sintió unos dolores de estómago fuertes. Salió rápidamente del trabajo, se subió a su auto y logró regresar a casa, a pesar del tráfico y el dolor.

Emilia no demoró en llamar a los paramédicos, quienes llegaron en minutos. Ellos vieron la necesidad de llevarlo a la sala de emergencias del Hospital La Merced.

Allá los doctores lo examinaron y determinaron que se trataba de un ataque de apendicitis. Sin vacilar, procedieron a prepararlo para cirugía. Emilia aprobó la operación, y así fue cómo a Juan Gómez le practicaron una apendectomía de emergencia.

Durante el transcurso de la operación, Emilia y los hijos, Samuel, María y Cuki, fueron a la capilla del hospital para orar. La fe les ayudó mucho. Durante las horas de espera, aunque se encontraban muy preocupados, tuvieron paciencia e infinita confianza en Dios.

Más de dos horas después, el cirujano, Hendrix, entró a la sala de espera con la buena noticia de que la intervención fue todo un éxito. Dijo, dirigiéndose a los hijos, "Su padre es un gran paciente. Antes de la operación estaba contando chistes a las enfermeras y los asistentes." Los hijos no se sorprendieron porque sabían que su papá tenía un gran sentido del humor.

Y así es. El día siguiente, cuando lo estaban visitando la familia y unos amigos, Juan agarró su teléfono celular y pretendió marcar un número y hablar con alguien.

"¿Es la agencia de viajes Bayview? Señorita, le habla Juan Gómez. Hágame el favor de hacer una reservación de cinco pasajes para un viaje a Cartagena, Colombia el sábado entrante. Yo la vuelvo a llamar para la confirmación, porque en el momento estoy en una reunión de negocios y después me voy a jugar golf."

A pesar de lo incómodo que se sentía debido a la operación, Juan Gómez se divirtió viendo a todos reírse de sus bromas. Esto le ayudó a recuperarse más rápido... Es de notar que Juan Gómez es un señor que goza de mucha simpatía, y es admirado por sus colegas por su determinación y capacidad de trabajo...

¡Pero no fue una broma! Juan quedó muy bien después de la operación. Los Gómez siempre viajaron a Cartagena en junio y pasaron unas vacaciones espléndidas.

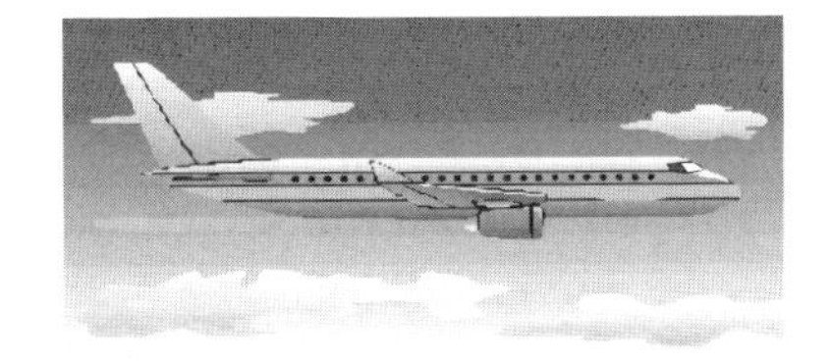

To the reader:

You have successfully completed Course I and Course II. It is vital to re-read all former lessons, saying them out loud, before continuing on to Course III.

Remember that only by repeating all the grammar lessons, the verb conjugations and the corresponding *Lecturas* out loud will you achieve your goal of speaking Spanish... and that's what *Sailing with Spanish* is all about; not only to study and know the language, but to use it and speak it.

¡ESTUPENDO, AMIGO! SIGUE ADELANTE!

Introduction
Course III

Para aprender el Español es necesario entregarse totalmente. Esto no quiere decir emplear la fuerza de voluntad, ni la disciplina, ni sentarse a memorizar frases o a estudiar listas de vocabulario. No se trata de sufrir, ni de cansarse; pero sí se trata de sacar de lo más profundo del alma la eterna idea de la superación personal — la meta de triunfar.

Esa inspiración es parte del propio ser. Es motivo y motivación para vivir... el poder decir, "Yo me metí en el fuego, sin temor; yo caminé sobre las aguas; yo conquisté; yo realizé mis sueños... ¡yo estudié el español y lo aprendí!".

Querido lector, usted decidió que es algo que quiere hacer para sí mismo. Entonces, ¡hágalo!. Entréguese al español, no sólo con la mente, sino con todo el corazón.

Lesson XXVI

FUTURE TENSE - *EL FUTURO*

The future tense in Spanish is one of the easiest to conjugate. The *AR*, *ER* and *IR* verbs all have the same endings, which are: *E*, *AS*, *A*, *EMOS*, *AN*. They all start with the infinitive of the verb.

Examples:

El verbo *trabajar* (to work)

yo trabajaré (I will work)	*nosotros trabajaremos* (we will work)
tú trabajarás (you will work)	
usted trabajará (you will work)	*ustedes trabajarán* (you will work)
él trabajará (he will work)	*ellos trabajarán* (they will work) - M/M&F
ella trabajará (she will work)	*ellas trabajarán* (they will work) - F

El verbo *vender* (to sell)

yo venderé (I will sell)	*nosotros venderemos* (we will sell)
tú venderás (you will sell)	
usted venderá (you will sell)	*ustedes venderán* (you will sell)
él venderá (he will sell)	*ellos venderán* (they will sell) - M/M&F
ella venderá (she will sell)	*ellas venderán* (they will sell) - F

El verbo vivir (to live)

yo viviré (I will live)	*nosotros viviremos* (we will live)
tú vivirás (you will live)	
usted vivirá (you will live)	*ustedes vivirán* (you will live)
él vivirá (he will live)	*ellos vivirán* (they will live) - M/M&F
ella vivirá (she will live)	*ellas vivirán* (they will live) - F

It should be noted that although the future tense in Spanish is used the same way as in English, it tends to describe an action that is more deliberate or promising; otherwise, *going to* is used.

Example:

Yo terminaré el trabajo en dos días.

(I will finish the work in two days.) - definite

Voy a trabajar por algunas semanas más.

(I'm going to work for a few more weeks.) - less definite

Know that your choice is never wrong. Whichever best describes the situation is right.

Some common irregular verbs -future

hacer **(to do)**
haré
harás
hará
haremos
harán

poder **(to be able)**
podré
podrás
podrá
podremos
podrán

tener **(to have)**
tendré
tendrás
tendrá
tendremos
tendrán

saber **(to know)**
sabré
sabrás
sabrá
sabremos
sabrán

decir **(to say)**
diré
dirás
dirá
diremos
dirán

querer **(to love, want)**
querré
querrás
querrá
querremos
querrán

QUESTIONS AND ANSWERS
PREGUNTAS Y RESPUESTAS

¿Dónde trabarará Pedro el año próximo?
El trabajará en la ciudad de México.

¿A qué horas saldrá tu avión para Roma?
Mi avión saldrá a las cuatro de la tarde.

¿Qué idiomas hablarán los embajadores en la reunión de Madrid?
Hablarán español e inglés.

Conteste:

¿Qué necesitará Carlos para arreglar su carro?
¿Dónde van a almorzar los estudiantes de la universidad?
¿Quienes harán los preparativos para la fiesta del grado?
¿En qué mes volverás a Paris?
¿Dónde pondrás el piano de cola?
¿Cuáles cantantes ganarán los premios en el próximo concurso?
¿Podrán los Gómez comprar un nuevo barco?

Lectura

CONTROVERSIA SOBRE LA TÍA LETICIA

Los Gómez están sentados a la mesa del comedor conversando. Emilia de Gómez relata incidentes de su dia. Dice Emilia, "¿Saben ustedes que me llamó la tía Leticia hoy?"

De inmediato interrumpió el hijo Manuel, diciendo en forma burlona, "Ay, ay, ay, la tía Leticia, quien insiste que su apellido es Gomée, no Gómez, y cuyas amistades tienen que ser solamente de lo más distinguidas..."

Luego Juan Gómez en el mismo tono agregó, "¡Sí! Mi hermana Leticia es bastante pretenciosa; sólo invita a personas importantes e influyentes a sus *soirees*, como ella llama sus reuniones sociales."

Ahora Maria entró en la conversación en defensa de su tia. "No sean tan duros con ella. La tía Leticia es también servicial y amable."

En ese momento Cuki saltó a clamar, "Y mala y brava. Me corrige y me regaña por todo. Cuki, péinate, Cuki, lávate las manos, ¡Cukita, vete a dormir!"

Siguieron con los comentarios y crítica de la tía entre risas y burlas...

Emilia continuó: "Déjenme informarles sobre los planes de la tía para el verano, según como me contó ella: primero, se irá a Washington donde asistirá al grado del hijo del embajador de España. Después visitará a los Whitman, familia del famoso poeta, en su mansión de Long Island. Enseguida hará un crucero en el lujoso barco Nueva Zelanda, en compañía de los Campanela,

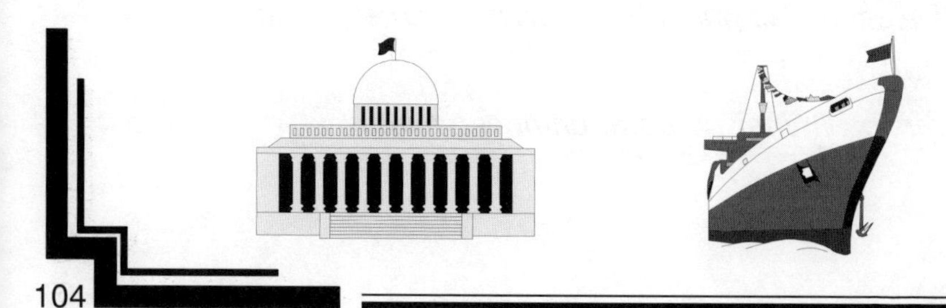

quienes, ella me recordó, son descendientes del Rey V de Francia..."

Juan Gómez y los hijos se reían descontrolados de las exageradas andanzas de la tia Leticia...

Después de un rato de observarlos riendo, Emilia continuó, "Y adivinen ustedes dónde terminará su programa de vacaciones - la tía Leti me dijo enfáticamente que, después de sus diversos paseos, va a venir a quedarse con nosotros a pasar el resto del verano..."

Cuki se fue para atrás y cayó al suelo, exclamando, "caramba, caramba, caramba!"

- Tres meses después -

Efectivamente, la tía Leticia les llegó en agosto como había prometido.

Después de la larga cena durante la cual ella contó interminables anécdotas acerca de sus anteriores paseos, al fin, se fue a su habitación a dormir. Al bajar el cubrelecho, ella dio un grito espantoso, y todos vinieron corriendo a ver qué le había pasado a la tía. La encontraron casi desmayada sobre una silla. Sin aliento, logró decir:

"Una rana, una rana saltó de mi cama."

Como era de esperarse, nadie durmió tranquilamente esa noche... excepto Cuki.

Lesson XXVII
PRESENT PARTICIPLES
EL GERUNDIO

Similar to English, the present participle (gerundio) is consistent in translation. Whenever it is necessary to use *ing* in a sentence, the forms *ando* and *iendo* are employed, indicating a present continuous action, or something happening now.

Example:	*comprando*	buying
	vendiendo	selling
	viviendo	living

With regular verbs, drop the *ar* and add *ando*; drop the *er* and *ir* endings and add *iendo*. The verb *estar* (to be) is used with gerunds - as in English.

Example:

estoy estudiando	I am studying
estamos comiendo	we are eating
está escribiendo	he/she is writing

Some changes with *ir* verbs are:

pedir - pidiendo	*dormir - durmiendo*
servir - siriviendo	*seguir - siguiendo*

Common verbs ending in *yendo*:

creer - creyendo	*traer - trayendo*
caer - cayendo	*leer - leyendo*

Common irregular verbs:

decir - diciendo *venir - viniendo*

poder - pudiendo

Use one of these verbs in the following sentences:

jugando	*volando*	*subiendo*
viviendo	*trabajando*	*comiendo*
oyendo	*hablando*	*pidiendo*
lavando		

Los niños están ______________ dulces a la mamá.

Ahora los Gómez están ______________ en la Florida.

Estamos ___________ música de jazz por la radio.

El gato de Cuki está ______________ el árbol.

Los señores están ___________ póker en el club.

¿Quién está _____________ los platos después de la comida?

El avión está _______________ para Europa a las cuatro.

______________ francamente, no me gusta la ópera.

Estamos ______________ en un restaurante buenísimo.

Juan está trabajando en la compañía de seguros.

Lesson XXVIII - Part 1
COMPARISON ADJECTIVES

Más translates "more" when used before a noun:

Quiero más café. (I want more coffee.)

No tengo más dinero en el banco. (I have no more money in the bank.)

Más before an adjective forms a comparative, and is used with *que.*

Roberto es más alto que su padre. (Roberto is taller than his father).

Mi casa es más grande que la de Ofelia. (My house is bigger than Ofelia's).

The superlative form is used with the definite article, singular or plural, *el*, *la* , *los*, *las*:

Juan es el más inteligente de su clase. (Juan is the most intelligent in his class.)

Las casas de esta calle son las más elegantes. (The houses on this street are the most elegant ones.)

***Bueno y malo* - Comparative forms**

bueno - mejor

El artículo en el periódico es bueno, pero el artículo en la revista es mejor.

(The article in the newspaper is good, but the article in the magazine is better).

malo - peor

El clima en la montaña es malo, pero el clima en el desierto es peor.

(The mountain climate is bad, but the desert climate is worse)

ractise sentences

laria tiene más talento que Rebeca.
stas naranjas son las más dulces.
om pagó más dinero por su motocicleta que por su carro.
reg fue el mejor nadador de los juegos olímpicos.
olita recibe mensualmente más sueldo que su esposo.
lo deseo más problemas!

xercise:

. *Esta lección es _____ fácil _____ la anterior.*

. *Mi primo es ____ alto ____ yo.*

. *El es ___ ____ pequeño de su clase.*

. *Gloria tiene ____ ambición ____ sus compañeras de colegio.*

Mi gata es ___ ____ inteligente de todos los gatos.

¿Quién es ____ bonita, Susy o Pati?

. *Pienso que París es una de las ciudades _____ interesantes de Europa.*

Me gustan ____ las manzanas ____ las peras.

tan - como = as
xample: *Este libro es tan interesante como el otro.*
(This book is as interesting as the other.)

tan = so
xample: *¡Estoy tan cansada!* (I'm so tired!)

ssignment for the reader: Think of how many comparisons there e in your life. Write them down and say them over and over. This ll constitute great progress in speaking the Spanish language.

Lesson XXVIII - Part 2

THE POSSESSIVE ADJECTIVES

The possessive adjectives - mine, yours, theirs, etc. - also agree in number and gender.

Singular	**Plural**
mío/a	*míos/as* (mine)
tuyo/a	*tuyos/as* (yours)
suyo/a	*suyos/as* (yours, his, hers)
nuestro/a (our)	*nuestros/as* (ours)
suyo/a	*suyos/as* (yours)
suyo/a	*suyos/as* (theirs)

Example:

Este lápiz es mío. *(de mí)* The pencil is mine.
Aquella silla es tuya. *(de tí)* The chair is yours.

Study:

Esos periódicos son suyos. *(de él)*
La casa es nuestra. *(de nosotros)*
Los libros son suyos. *(de ustedes)*
Los problemas son suyos. *(de ellos)*

Change the English to the correct Spanish possessive adjective.

Aquel perro es _______ . (his)
Creo que este cuaderno no es _____ . (mine)
Las frutas son _______ . (hers)
Los automóviles son _______ . (theirs)
¿Son estos zapatos _______ ? (yours)
No, son _______ . (his)

Lectura

UNA TARDE EN EL HIPÓDROMO

Carlos Rodríguez y su familia, amigos de los Gómez, fueron al Hipódromo de Houston hace unas semanas y pasaron una tarde particularmente divertida.

Para sorpresa de todos, el caballo *Sunflower*, el favorito absoluto para ganar la carrera principal y el que tenía el récord más espectacular, sólo llegó en tercer lugar. El ganador fue *Tambor*, uno de los menos favoritos; para decir la verdad, era considerado entre los que menos posibilidades tenía de salir victorioso.

Los espectadores estaban visiblemente desilusionados, porque habían apostado grandes sumas de dinero a su favorito, *Sunflower*. Los dueños, también incrédulos, sintieron la derrota, pero el más desconcertado fue el jinete, Cádiz, quien había ganado sus últimas seis carreras con esa yegua, más que cualquier otro jinete, y sabía que los demás caballos no eran tan fuertes como el suyo.

Ahora no quedaba más que esperar las próximas competencias, que podrán determinar el verdadero campeón. Estas tendrán lugar en el verano. Así se podrá ver si los pronósticos de sus fieles admiradores se cumplirán y la invencible *Sunflower* podrá recuperar su fama y, de veras, llegar a ser uno de los nombres más grandes en la historia de las carreras de caballos.

Lesson XXIX
The conditional - Tiempo condicional

The conditional tense is the equivalent of "would" in English and is conjugated much like the future tense. Start with the verb in its infinitive form and add the endings *ía*, *ías*, *ía*, *íamos* and *ían* in all three conjugations.

tomaría (I would take)	*tomaríamos* (we would take)
tomarías (you would take)	
tomaría (you/he/she would take)	*tomarían* (you/they would take)

bebería (I would drink)	*beberíamos* (we would drink)
beberías (you would drink)	
bebería (you/he/she would drink)	*beberían* (you/they would drink)

escribiría (I would write)	*escribiríamos* (we would write)
escribirías (you would write)	*escribirían* (you/they would write)
escribiría (you/he/she would write)	

Examples:

Yo tomaría un viaje a Hawaii si tuviera el dinero.

I would take a trip to Hawaii if I had the money.

Beberíamos champaña, pero es muy cara.

We would drink champagne, but it is very expensive.

Escribirían al gobernador, pero seguro que no contestaría.

They would write to the governor, but it's sure he wouldn't answer.

***ar* verbs**	***er* verbs**	***ir* verbs**
hablaría	*metería*	*viviría*
compraría	*vendería*	*insistiría*
aceptaría	*correríasubiría*	
limpiaría	*leería*	*cubriría*

Select two of each of these verbs and create a conditional sentence of your own.

Conditional with Irregular Verbs

quiero - quisiera
gustar - me gustaría, le gustaría, etc.
poder - podría
decir - diría
venir - vendría
salir - saldría
poner - pondría
hacer - haría

Examples:

El haría un buen presidente.

Ellos vendrían más temprano a la reunión, pero tienen que esperar a la niñera (babysitter).
Me gustaría tomar una vacación en Europa.

Lectura

SAMUEL COMPRA UN CARRO CHÉVERE

Samuel comienza su primer año en la universidad el próximc otoño y él piensa que sería de maravilla tener su propio auto allí Su padre le dijo que le prestaría el dinero si consigue un carrito nc muy costoso.

En vista de eso, Samuel y su amigo Luis se fueron a un sitic bien conocido donde se venden carros usados. Al llegar, se les acercó un vendedor y les dijo, "¿Qué hay, amigos, podría ayudarles en algo?"

Contestó Sam, "Por supuesto, me gustaría ver algún carrc económico en excelentes condiciones, pues necesitaría llevarlc hasta la universidad y no deseo tener problemas mecánicos allá con mi vehículo." El vendedor procedió a mostrarles unos carros americanos, pero ninguno que pudiera gustarle a Sam o a Luis.

Al fin Sam le dijo, "Francamente, yo preferiría un carro japonés tal vez un Toyota."

"Ooooo, entonces pasemos al otro lote donde tengo dos carritos buenísimos que seguro le van a interesar," dijo el vendedor

Tenía la razón, porque allí había dos carros Toyota que parecían estar en buen estado; uno era gris y el otro color moradc encendido.

El vendedor insistió, "Creo que cualquiera de los dos le serviría maravillosamente. El morado es el más nuevo y tiene menos millas que el otro, pero nadie lo ha querido comprar por su color tan escandaloso."

Entonces Samuel, bien emocionado, exclamó, "¡Que chévere Me encanta el color."

"¡Imagínese cómo llamaría la atención en la universidad!" agregó Luis.

"Ah sí, tumbaríamos a todas las chicas con ese carrito, sin duda alguna."

Entonces, como quien no quiere la cosa, Sam le dijo a vendedor, "Si estuviera en óptimo estado y dentro de mi presupuesto, lo consideraría...". Pero a pesar de que estaba un poco costoso, Sam le comentó a Luis que valdría la pena trabajar en el verano para pagar las cuotas.

Lo demás es historia. Samuel mandó revisar el auto, lo encontró en buenísimas condiciones y lo negoció a su satisfacción. Quedó dichoso.

El día que Samuel sacó su carro del lote, se sintió como el rey del universo, listo para conquistar el mundo entero en su Toyota morado... especialmente a las chicas de la universidad.

Note: ***Expressions***

chévere - cool
tumbar - bowl over
como quien no quiere la cosa - as if you were uninterested (literally: like one who doesn't want the thing)

Lesson XXX

THE PRESENT PERFECT - *EL PASADO PERFECTO*

The present perfect is used with *haber*.

yo he	*nosotros hemos*
tú has	
usted ha	*ustedes han*
él/ella ha	*ellos/ellas han*

Verbs ending in *ar* add *ado* to the stem:
hablar - hablado *comprar -comprado*

Verbs ending in *er* and *ir* add *ido* to the stem:
comer - comido *vivir - vivido*

Examples:
Yo he hablado con el profesor Sánchez.
I have spoken with professor Sanchez.
Los niños han comido en la cafetería.
The children have eaten in the cafeteria.
¿Cuánto tiempo ha vivido José en Tampa?
How long has Jose lived in Tampa?

ar past participles	**er past participles**	**ir past participles**
viajado	*salido*	*vivido*
estudiado	*entendido*	*insistido*
llevado	*comido*	*dormido*
preparado	*bebido*	*repetido*
terminado	*tenido*	*partido*
usado	*vendido*	*subido*

ser - sido *estar - estado*
El ha sido gobernador durante cuatro años.
Mario ha estado trabajando todo el día en el garaje.

Sentence practise:

El bebé ha dormido toda la tarde.
Eduardo ha visitado todos los países de Europa.
El presidente ha preparado su discurso para la reunión.
Los Hernández no han vendido su casa todavía.
Yo he tenido problemas últimamente.
¿Has vivido en la Florida toda tu vida?
Ustedes no han estudiado la lección.

No han terminado la construcción del puente.

Irregular past participles

hecho (hacer)	*escrito (escribir)*
dicho (decir)	*vuelto (volver)*
visto (ver)	*puesto (poner)*

Examples:
No hemos vuelto a Boston en tres años.
El profesor de Harvard ha escrito varios libros de filosofía.
Ella ha estado triste ultimamente.
Pablo no ha visto esa película.

When past participles are required without *haber*, they must agree in number and gender with the nouns they describe.

Exmples:
La puerta principal está abierta.
El restaurante está cerrado.
Las llaves están perdidas.
El libro fue escrito por Hemingway.

Past perfect with *había*:

yo había	*nosotros habíamos*
tú habías	
usted había	*ustedes habían*
él/ella había	*ellos/ellas habían*

Sentence practise:

Tú ya habías hablado con la profesora.
Los niños habían comido cuando sonó la campana.
Nosotros habíamos visitado toda la región antes del huracán.

Yo no sabía que los Thompson habían vivido en México durante cinco años.

Assignment - *Tarea*

Write an essay about yourself, a friend or family member that has lived in another city, state or country, what they have done there... *¡Ahora la lectura es tuya!*

El gato de Cuki se enferma

Fill in the blanks with the correct past participles listed at the end of the story.

Un día el gatico de Cuki parecía estar enfermo.Cuki se fue donde María y le dijo angustiada, "Mi Blinky no está bien. Yo _____ _______ todo lo posible para alimentarlo pero no _____ _______ nada, no ______ ______ conmigo, sólo ______ ______ durmiendo todo el día.

Por consiguiente, las hermanas resolvieron llevarlo al veterinario. Pusieron a Blinky en su nuevo cajón verde que Samuel le ______ _______ para su cumpleaños, y se fueron para el veterinario, Cuki llorando todo el camino de ver a su gatico tan deprimido.

El doctor Clifford tranquilizó a Cuki inmediatamente y después de ______ ______ él le aseguró a las hermanas que el gatico no tenía nada serio. "Sospecho que Blinky _____ ______ algún animalito que le _____ _____ sentirse mal," dijo el doctor. "No se preocupen más. El estará divinamente en 24 horas. Puesto que no tiene fiebre, la infección no es grave."

El doctor procedió a ponerle una inyección de antibiótico y les entregó a las niñas unas gotas para administrarle cada seis horas durante dos días. Después felicitó a Cuki diciendo, "Cuki, tú _____ _____tu gatico muy bien. Tiene buen peso y está saludable."

Cuki y María sintieron un gran alivio, especialmente Cuki, porque se ____ _____ que Blinky _____ _____ alguna enfermedad felina complicada.

En pocos días Blinky estaba completamente _________. Cuki se dio cuenta que se ______ ______ demasiado, sin razón. Mientras tanto, su gato seguía corriendo detrás de los animales, cazando pajaritos, lagartijas, ardillas y todo animalito que veía... Cuki lo llama. "Mi Feliz Gato Feroz".

había cogido	*recuperado*	*he hecho*
has cuidado	*ha comido*	*ha estado*
había preocupado	*había regalado*	*ha hecho*
haberlo examinado	*ha consumido*	*ha jugado*
habían imaginado		

Lesson XXXI
GRAMMAR CUES
APUNTES PARA LA GRAMATICA

Y (and) becomes *e* when the following word begins with *i* or sounds like *i*.

Example:

Los Gómez hablan español e inglés.
Los padres e hijos heredaron la finca.

Likewise, *o* changes to *u*:

No sé si tengo setecientos u ochocientos dólares en mi cuenta bancaria.
¿Es por miedo u honor que el ladrón confesó?

Qué and *quién*, when used as a subject or when asking a question, have an accent.

Example:

¿Qué llevarás a la merienda en el parque?
Quién escribió el artículo sobre la salud es el editor.
¿De quién es este lindo cuadro?

Quien and *cual* (when and which) are also pluralized in Spanish.

Example:

Ellos son los participantes quienes merecen los premios.
Dígame cuáles pinturas le gustan más, las clásicas o las modernas.

a quien, de quien: to whom, of whom

Son los actores a quienes aplaudieron muchísimo.
Roberto conoce a los ciudadanos de quienes habló el presidente.

cuyos/cuyas: whose

Es el senador cuyos planes podrían mejorar el país.
Aquella es la iglesia cuyas ventanas son traídas de Europa.

Prepositions before the infinitive:

dejar de:	*Dejé de preocuparme.*
cansado de:	*Estuvo cansado de estudiar.*
interesado en:	*Estaban interesados en ver los lugares históricos.*
insistir en:	*Insistieron en tratar de convencerlo.*

Prepositions before the direct object, when the direct object is a person, name of a person or an animal:

visitar a:	*Visité a mis hermanos en Ohio.*
invitar a:	*Invitaron a mucha gente a la fiesta.*
encontrar a:	*¿Encontraste a Gloria en la tienda?*
preguntar a:	*El hizo preguntas al profesor.*
ver a:	*Vimos a los López en el desfile.*
querer a:	*Ana quiere mucho a su gato, Simón.*
escribir a:	*María escribió a su amiga en Chile.*

tan - como (as)	*tan* (so)
Carolina es tan bonita como su hermana.	*¡Yo estuve tan emocionada con el CD de Bocelli!*
Mario es tan inteligente como Aurelio.	*Los corredores quedaron tan cansados después de la carrera que no querían hacer nada.*
Juana es tan hábil como Esperanza.	

Lesson XXXII

THE SUBJUNCTIVE
EL SUBJUNTIVO

The subjunctive has extensive uses in Spanish. The author elects to explain only the most necessary and practical to enhance your speaking and writing abilities.

Expressing desire or wish: when you need to say, I want you to, I expect you to, etc.
The endings are: *e, es, emos, en* for *ar* verbs and are conjugated like the command form.

comprar

yo compre	*nosotros compremos*
tú compres	
usted/él/ella compre	*ustedes/ellos/ellas compren*

Example:
El quiere que yo compre un carro nuevo.
Ella desea que nosotros compremos un carro nuevo.
Ellos esperan que tú compres un carro nuevo.

comer

yo coma	*nosotros comamos*
tú comas	
usted/él/ella coma	*ustedes/ellos/ellas coman*

Example:
Yo quiero que comas todas tus verduras.
El no quiere que ella coma tan rápido.

vivir

yo viva	*nosotros vivamos*
tú vivas	
usted/él/ella viva	*ustedes/ellos/ellas vivan*

Example:
Prefiero que la familia viva en la Florida.
¡Que vivas feliz!

Some uses are:

After verbs of necessity, doubt or emotion.

Example:

El profesor necesita que los alumnos hablen claramente.
Yo dudo que él llame a su jefe para excusarse.
Me alegro que Robert aprenda español.

Irregular verbs

venir - venga	*ir - vaya*	*poner - ponga*
dar - de	*traer - traiga*	*hacer - haga*
poder - pueda	*saber - sepa*	

Example:

Insisto en que Rosalía haga el trabajo con cuidado.
Quiero que ellos vengan a comer el viernes.
Necesitamos que Pablo nos traiga los papeles aquí.
Espero que el embajador dé una respuesta inteligente.
Es importante que ella sepa la verdad.

ser

yo sea	*nosotros seamos*
tú seas	
usted/él/ella sea	*ustedes/ellos/ellas sean*

estar

yo esté	*nosotros estemos*
tú estés	
usted/él/ella esté	*ustedes/ellos/ellas estén*

Example:

Espero que él sea cortés con los invitados.
El quiere que María sea su compañera de viaje.
Ojalá Enrique esté bien de salud muy pronto.
Emilia espera que Cuki esté quieta en la iglesia.

Note: *Ojalá* is frequently used by all Spanish speaking people meaning: let's hope, would that, if only.

Subjunctive with past and imperfect tenses

yo hablaba	*nosotros hablábamos*
tú hablabas	
usted/él/ella hablaba	*ustedes/ellos/ellas hablaban*

Example:

El insistió en que yo hablara español.
Su padre quería que Sam comprara un auto barato.

The imperfect endings on the second and third conjugations are the same:

comer		***vivir***	
comiera	*comiéramos*	*viviera*	*viviéramos*
comieras		*vivieras*	
comiera	*comieran*	*viviera*	*vivieran*

Example:

El sugirió que comiéramos en un restaurante elegante.
Su padre prefería que Eduardo viviera en una ciudad cosmopolita.

The following irregular verbs follow the same pattern:

hacer	*hiciera*	*poner*	*pusiera*
tener	*tuviera*	*venir*	*viniera*
saber	*supiera*	*poder*	*pudiera*

Ir and *ser* change to:

fuera fueras fuera fuéramos fueran

Dar changes to:

diera dieras diera diéramos dieran

Estar is like *dar*.

estuviera estuvieras estuviera estuviéramos estuvieran

Example:

Ella quería que tú fueras más amable con ella.
No fue posible que estuviéramos allí a las cinco.
Patricia esperaba que Mario le diera un bonito regalo.

Study and repeat the following sentences over and over to get a feeling for the sounds of the various subjunctive forms:

Ellos quieren que tú compres un condominio en la playa.

María desea que Samuel conozca a su amiga Paulina.

Juan prefiere que la familia hable español en casa.

Tú esperas que Roberto cambie su carro viejo por uno nuevo.

Espero que él no olvide sus llaves otra vez.

¿Dónde quieres que comamos el Domingo?

Ojalá que ustedes puedan traducir rápidamente el documento.

Es posible que Tony trabaje más eficazmente que Enrique.

No es necesario que usted sepa español para conseguir el puesto.

Yo deseo que ella espere hasta el lunes antes de viajar a Europa.

Cuki no quería que su tía viniera a visitarlos.

Es posible que María tenga que practicar el piano dos horas diarias.

El señor Alvarez quiere que paguen la deuda cuanto antes.

El deseaba que usted escribiera una carta al colegio.

Yo esperé que él volviera pronto.

Ojalá que tú puedas terminar los estudios en junio.

Ellos querían que la guerra terminara en corto tiempo.

Yo quería que él me diera una respuesta prontísimo.

Era vital que el testigo dijera la verdad.

Subjunctive with present perfect

This form is used with the verb *haber* and a past participle of the principal verb.

yo haya estudiado	*nosotros hayamos estudiado*
tú hayas estudiado	
usted/él/ella hayan estudiado	*ustedes/ellos/ellas hayan estudiado*

Example:

Lamento que yo no haya estudiado idiomas en mi juventud.

El no cree que ellos hayan viajado a muchos países de Europa.

Es posible que tú no hayas entendido las direcciones.

Dudo que los Gómez hayan vivido 22 años en Miami.

No puede ser que ellos hayan perdido su fortuna en la bolsa.

The subjunctive with the "if" clause followed by the conditional

Si Juan pudiera comprar un auto, viajaría a Califorinia

Si Bárbara tuviera un compañero, lo invitaría al concierto.

Si él supiera español mejor, le gustaría ser intérprete.

Si él quisiera, podría participar en las competencias de ajedrez.

Si Lucy fuera mi hija, no le compraría tanta ropa.

Si no cometieras tantos errores en la tarea, la profesora estaría más contenta.

Si el tiempo lo permitiera, tendríamos un piquete en el parque.

Si mi gato fuera gordo, lo pondría a dieta.

Subjunctive in clauses

Yo iré tan pronto venga.

No hay nadie que hable inglés allá.

Queremos un apartamento que tenga vista al mar.

Le explicaré el problema cuando lo vea.

Muéstrame unas camisas que sean baratas.

El mecánico arreglará mi carro tan pronto como reciba los repuestos.

Hablaré con él después de que regrese de sus vacaciones.

Saldremos a comer tan pronto como llegue María de su clase de baile.

Give the proper subjunctive in the following phrases:

El quiere que yo _______ (hablar) más español con él.

Juan quería que sus amigos no _________ (pagar) la cuenta.

Silvestre desea que Inés lo _______ (llamar), ojalá pronto.

La viejita necesitaba que su hija _________ (vivir) más cerca.

Ellos quieren que Susana ________ (cantar) en su boda.

Sería bueno que Lola no _________ (vender) su casa.

Insistieron que los invitados _________ (llegar) a tiempo.

No fue posible que él le _______ (dar) las llaves de su carro.

Ojalá que Nelson _________ (venir) temprano para ayudar.

Es imposible que Tanya _______ (aprender) español.

Yo dudo que él _______ (poder) contestar la pregunta.

Ellos no regresan hasta que ________ (haber) terminado su gira por Europa.

Si él _______ (ser) mi amigo, le diría la verdad.

Yo quiero que ella ________ (escribir) a su tía.

Pedro no deseaba que ella __________ (llorar) más por la muerte de su abuelo.

Siento mucho que él no me _________ (querer) más.

Sin embargo, espero que ________ (saber) que nuestros sentimientos son mutuos.

Si Darío __________ (estar) en Nueva York, podría ganar más dinero como artista.

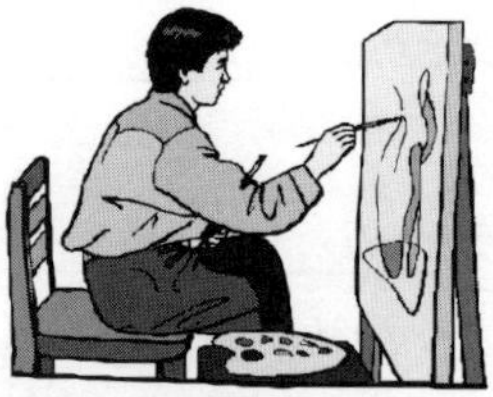

Special topics
Temas especiales

General medical terms
Términos médicos comunes

dolor - pain

dolor de estómago	stomachache
dolor de cabeza	headache
dolor de espalda	backache
dolor de garganta	sore throat

doloroso - sore, painful
doler - to hurt *¿Dónde le duele?* Where does it hurt?

alergia - allergy
artritis - arthritis
aspirina - aspirin
asma - asthma
¡Tome aspirina para el dolor de artritis!
Take aspirin for arthritis pain!

bronquitis - bronchitis
brote - rash
El niño tiene brote. The child has a rash.

cardíaco - cardiac
cerebro - brain
cicatriz - scar
convulsiones - seizures
La operación dejó una cicatriz en la rodilla derecha.
The surgery left a scar on the right knee.

dentadura / dientes - teeth
dentista - dentist
El dentista encontró dos cavidades en su dentadura.
The dentist found two cavities in his teeth.

epidemia - epidemic
Hace 30 años hubo una epidemia de malaria.
Thirty years ago there was an epidemic of malaria.

especialista - specialist
esqueleto - skeleton

leucemia - leukemia
longevidad - longevity

maligno - malignant
médico de cabecera (de familia) - family doctor
médico general - general practitoner
medicamento, medicina - medication, medicine
El tumor no era maligno, sino benigno.
The tumor wasn't malignant, but benign.
El tomó una medicina que no requiere fórmula medica.
He took an over the counter medicine.

neurólogo - neurologist
nutrición - nutrition
Con buena nutrición vivrás muchos años.
You will live many years with good nutrition.

rtopedista - orthopedist
steoporosis - osteoporosis

sicologo/a - psychologist
sicosis - phsychosis
ulso - pulse
unzante (dolor) - sharp, stabbing, throbbing (pain)
uñalada - stab wound
El dolor fue tan punzante como una puñalada.
The pain was as sharp as a stab wound.

ano - healthy
angre - blood
illa de ruedas - wheelchair
ensión - tension, stress
óxico - toxic
ratamiento - treatment
El tratamiento para adelgazar es dieta y ejercicio.
The treatment to lose weight is diet and exercise.

lcera - ulcer

acunar - to vaccinate
iruela - smallpox
Hay que vacunar a los niños contra la viruela.
You must vaccinate children against smallpox.
isión - vision
itaminas - vitamins

eso - cast, plaster

umbido en el oído - ringing in the ears

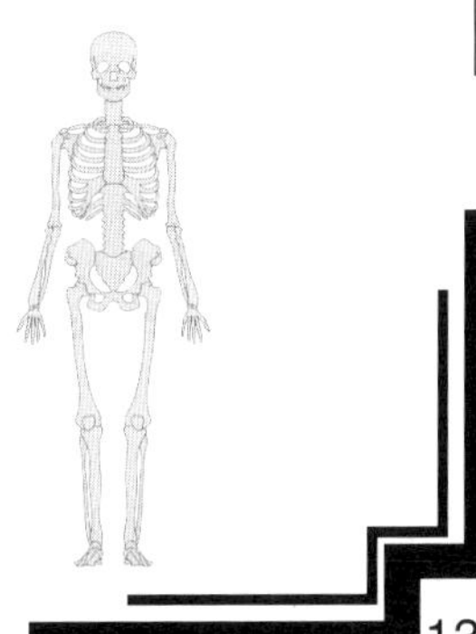

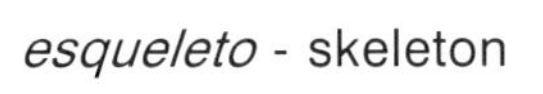
esqueleto - skeleton

Lectura

Andrés Tizano compra una póliza de seguros

El señor Andrés Tizano, empleado del banco del cual Jua
Gómez es gerente, deseaba conseguir una póliza de seguro d
vida. Juan lo refirió a la compañía *Center City Insurance*, ubicad
en el quinto piso del edificio al lado del banco.

Una vez allá, la agente de seguros, Sylvia Santander, entrevist
a Andrés Tizano, haciéndole una serie de preguntas sobre su
trabajos, presentes y pasados, su familia, su educación, su salu
y sus aficiones. Luego le indicó que hiciera una cita con el docto
Héctor Ramos, médico general de la compañía, para su exame
físico.

Al llegar al consultorio del doctor Ramos, las recepcionista l
preguntó, "¿Fue la agente Sylvia Santander la que le dijo que vinier
aquí?" Andrés respondió afirmativamente y enseguida un
enfermera lo acompañó a la sala de exámenes.

Después de tomarle el pulso y la presión arterial, empezó a toma
su historia clínica. Preguntó si había tenido alguna intervenció
quirúrgica, si era alérgico a la penicilina, si tomaba medicamento
si tomaba o consumía drogas... La enfermera continuó, "¿Algun
persona en su familia ha sufrido de diabetes o ha tenido problema
de corazón, riñón o vesícula? ¿Algún familiar ha tenido cáncer
¿Qué edad tenía su padre cuando murió?"

Andrés constestó todas estas preguntas satisfactoriamente.

Pronto vino el doctor Ramos, saludó amablemente a André
Tizano, y le dio la bienvenida a su consultorio... "Aquí vamos
hacerle un examen físico completo, señor Tizano." El doctor Ramo
le puso el estetoscopio a Andrés y le dijo, "Respire profundo. Mu
bien. ¿Nunca ha tenido falta de respiración, ni problema
pulmonares o del corazón?"

"En absoluto," contestó Andrés.

"Bien, acuéstese aquí, que le voy a examinar el estómago
Enseguida, el doctor hizo presión sobre todo su abdomen con la
manos, diciendo, "Dígame si le duele." Andrés no sintió ningú
dolor.

Dijo el doctor, "Entonces nunca ha tenido molestias gastrointestinales o con la digestión."

"Ciertamente que no," replicó Andrés. "Yo cuido mi dieta, soy deportista y corro por lo menos cinco millas al día."

"¡Excelente!" exclamó el doctor. "Se ve que usted es un hombre saludable y sano. Aparenta usted menos que sus 50 años."

"...Ahora sólo falta hacer un chequeo de los oídos y la garganta y tomar unos reflejos neurológicos... Ya veo que todos los sistemas del cuerpo indican un estado de salud excepcional. En unos pocos días, cuando llegue el examen sanguíneo del laboratorio, se enviarán los resultados, junto con estos informes, directamente a su agente de seguros."

El doctor Ramos y Andrés Tizano se dieron la mano y Andrés le agradeció su atención. Salió de la oficina contento, pero a la vez pensaba, "¡Tanto formulario... tanta preguntadera... qué examen tan largo! Esto fue más laborioso que un día de trabajo en el banco."

Note: This *Lectura* illustrates the use of the various verb conjugations already studied.

Sports
Deportes

el fútbol	soccer / football
el béisbol	baseball
el tenis	tennis
el básquetbol / baloncesto	basketball
el sóftbol	softball
el vólibol / balonvolea	volleyball
el golf	golf
la natación	swimming
el ciclismo	bicycling
la equitación	horseback riding
el automovilismo	auto racing
el boxeo	boxing
el patinaje	ice skating
el ping-pong	ping-pong / table tenis
los bolos / boliche	bowling
billar	billiards / pool
la caza	hunting
la pesca	fishing
ir de pesca	go fishing
carreras de caballos	horse racing
toreo	bullfighting
atleta	athlete
jugador	player
tenista	tennis player
futbolista	soccer / football player
basquetbolista	basketball player
ciclista	bicycle rider
patinador	skater
corredor	runner
jinete	jockey (races)
torero / matador	bullfighter
boxeador	boxer
cancha de tenis	tennis court
campo de fútbol	soccer / football field

cuadrilátero	ring (boxing)
pista	track
- de hielo	ice rink
- de baile	dance floor
plaza	bullring
bola / pelota	ball (for tennis / golf)
balón	ball (for soccer / football)
raqueta	racket
casco	helmet
silla	saddle
gafas	glasses
patines	skates
guantes	gloves
zapatos	shoes
juego	game
jugar	to play
jugar a:	
jugar (al) fútbol	to play football
jugar (al) tenis	to play tennis
jugar (al) boliche	to bowl
montar:	
montar a caballo	to ride a horse
montar bicicleta	to ride a bicicle
nadar	to swim
patinar	to skate
*cazar*to hunt	
pescar	to fish
saltar	to jump
remar	to row
esquiar	to ski
practicar	to practice
apostar	to bet / gamble
competir	to compete
concurso	contest
competencia	competition / meet / rivalry
atleta	athlete
atletismo	athletics
aficionado	fan / enthusiast

Vivian, entrenadora de triatletas

Run Girl Run decía la inscripción en el primer trofeo ganado por Vivian Torres cuando tenía sólo 15 años. En esa época ella no tenía mucho interés por los deportes en equipo, y aunque correr no era un deporte popular entre sus compañeras de colegio, Vivian, en cambio, con inmenso gusto, corría y corría.

Una dedicada profesional en dentistería hoy en día, Vivian recuerda que en el camino de terminar sus estudios universitarios continuó con su afición, y cada año participaba en una variedad de maratones, en las cuales continuaba ganando premios. Pronto comenzó el ciclismo y pudo ingresar en competencias de biatlón, clasificando siempre entre los primeros puestos en su categoría.

Después de sufrir una lesión en la espalda, Vivian tuvo que modificar sus actividades deportivas. Empezó a nadar como terapia... pero como dicen, "no hay mal que por bien no venga". Ella se dio cuenta de que podía sobresalir en este deporte también. Después de más terapia, yoga y armada con un espíritu indomable, ya recuperada, ingresó a competencias de triatlón, y como era de esperarse, a través de los años ha ganado numerosos títulos.

Sin embargo, llegó el momento en que Vivian tuvo que reflexionar sobre su vida, dándose cuenta de que en los esfuerzos por luchar y triunfar algo también se perdía. Decidió tomar un tiempo de descanso y, después de un año, regresó con una misión pulsante: la de introducir a otras mujeres al atletismo para mejorar sus vidas y lograr una superación personal - todo por medio del triatlón. ¡Con qué entusiasmo y emoción se embarcó en este proyecto!

"Yo sé el bien que me han hecho el deporte y el ejercicio en los momentos de dificultad y estrés. Correr ha sido mi salvación muchas veces. Si yo pudiera compartir esos beneficios con los demás, diría que habría cumplido una labor valiosa para la humanidad."

Ahora sus dos hijas, Natalia, la intelectual, quien siempre ha tenido inclinación por el deporte, y la menor, Mónica, la artística la creativa, quien se había resistido por mucho tiempo, han ingresado a las competencias femeninas. Vivian, quien nunca las empujaba, ni las presionaba, exclama riéndose, "¡Se han enloquecido por el deporte. ¡Son maniáticas!"

Logrando su sueño por completo, hace cinco años Vivian ha sido entrenadora de varios grupos, desde niños hasta personas de 60 y 70 años, tanto principiantes como avanzados, todos competidores en pruebas de triatlón.

La satisfacción de esta increíble atleta con su trabajo es indescriptible. Su máximo placer está en saber que sus alumnos han conquistado la depresión y diversas dolencias físicas. Goza viendo a las personas mayores rejuvenecerse y a todos recapturar un espíritu de optimismo y alegría.

Aunque Vivian tiene diversos intereses adicionales, como su amor por los animales, y una firme dedicación al hogar — es excelente decoradora y cocinera — cuando se le pregunta cuáles son sus *hobbies*, ella responde, "¡Soy una aficionada furibunda del *football*!"

LOS PAISES DE ORIGEN ESPAÑOL

México es parte de Norteamérica y es nuestro vecino directamente al sur de los Estados Unidos.

Centroamérica: Guatemala, Costa Rica, Honduras, El Salvador, Nicaragua y Panamá.

América del Sur: Colombia, Venezuela, Ecuador, Perú, Bolivia, Paraguay, Uruguay, Chile, Brazil y Argentina.

Las Indias Occidentales: Cuba, República Dominicana y Puerto Rico.

Capitales

La Ciudad de México es una de las capitales más bellas e interesantes del mundo. Entre los sitios de interés están el Paseo de la Reforma, la avenida principal Chapultepec, un parque hermoso donde se encuentra un castillo antiguo, el Palacio de Bellas Artes, donde están el Teatro Nacional, así como galerías de arte; no muy lejos de la Ciudad de México está Xochimilco, un lugar turístico con hermosos jardines flotantes.

Bogotá, Colombia, es conocida como un gran centro cultural e intelectual de las Américas españolas. El Museo del Oro, la Plaza de Bolívar, el Teatro Colón y numerosas estatuas e iglesias antiguas han hecho que esta capital montañosa se haya ganado el título de "La Atenas del Sur".

Buenos Aires, Argentina, es considerada como una de las capitales más modernas y cosmopolitas del mundo. Es la ciudad más grande de habla española.

Lima, Perú, posee una gran cultura antigua de la época colonial española. Ha sido llamada la "Ciudad de los Reyes" (*City of Kings*).

Quito, Ecuador, tiene muchas riquezas de la cultura indígena autóctona y es famosa por la belleza y elegancia de sus iglesias.

La Paz, Bolivia, situada más de dos millas sobre el nivel del mar, es la capital más alta del mundo. Fue nombrada por el gran libertador, Simón Bolívar.

Otros datos culturales

Cuzco, una ciudad antigua del Perú, y la capital original, contiene los restos de la civilización Inca.

Cartagena de Colombia, un puerto sobre el mar Atlántico, tiene fortalezas construidas por los españoles para proteger la ciudad de los piratas. El impresionante Castillo de San Felipe es un lugar histórico.

El "Cristo de los Andes" es una estatua gigantesca de Jesucristo situada en las montañas de los Andes, en la frontera entre Chile y Argentina.

El lago Titicaca, también en los Andes, entre Perú y Bolivia, es el lago navegable más alto del mundo.

Las pampas argentinas son inmensas extensiones de praderas. El "gaucho" es el "cowboy" de las pampas.* Anteriormente, la vida en las pampas era muy primitiva. La gente vivía en ranchos y el único medio de transporte era el caballo.

Bolivia es el único país en Suramérica sin acceso al mar.

Colombia tiene puertos principales sobre ambos océanos, el Atlántico y el Pacífico.

*El equivalente en Colombia y Venezuela son los Llanos, y el "cowboy" se llama "vaquero".

Productos y minerales

azúcar	Cuba
café	Colombia
carne	Argentina
cobre	Chile
esmeraldas	Colombia
petróleo	Venezuela
plata	México
plátano	Costa Rica
tabaco	Cuba
trigo	Argentina

Clima

Tanto Centro como Suramérica están situadas en el Trópico. Sin embargo, es importante saber que las ciudades en las montañas gozan de un clima fresco, por motivo de la altura. En una ciudad al nivel del mar generalmente hace calor, mientras que por la noche hace frío en ciudades montañosas.

Algunos personajes de renombre

Simón Bolívar: General venezolano cuya lucha por la independencia en su continente lo convirtió en el libertador de cinco países. Es conocido como el George Washington de Suramérica.

José de San Martín: General argentino que logró la liberación del cono Sur de Suramérica.

José Martí: Famoso escritor y político cubano que murió luchando por la independencia de su país.

Rubén Darío: Uno de los más grandes poetas de Latinoamérica, de origen nicaragüense. Comenzó un nuevo estilo de poesía llamado "modernismo".

Gabriel García Márquez: Autor colombiano cuya obra, *Cien años de soledad* (100 Years of Solitude), ha sido traducida a casi todos los idiomas. Ganó el Premio Nobel de Literatura en 1982.

Estampas de Latinoamerica

México, país de contrastes

Dos de las ciudades más interesantes de México son Guanajuato, al norte, y Zipolite, ciudad costera. Guanajuato se encuentra sobre las montañas, a unas tres horas por carretera desde el Distrito Federal. Zipolite está sobre la costa Pacífica, al sur de Puerto Escondido.

Guanajuato es considerado hoy en día como patrimonio histórico de la humanidad; se trata de una ciudad única e interesante. Fue establecida como una ciudad minera, donde se cavaban túneles inmensos para extraer la riqueza mineral de oro y plata que allí existía. Debido a este fenómeno, la ciudad se desarrolló por encima de estos túneles y en la actualidad es una ciudad con un sistema enorme de vías de tránsito subterráneas. Los túneles se extienden por varios kilómetros y se conectan unos con otros. Encima de ellos están los edificios, los mercados, los museos, las tiendas típicas, los colores y la gente.

En Guanajuato nació uno de los artistas más famosos de México y del mundo, Diego Rivera. La casa donde creció es hoy en día un museo, adornado con varias de sus obras.

Zipolite es muy diferente a Guanajuato. Es una ciudad mucho más pequeña sobre el mar. Es un lugar extremadamente tranquilo donde los viajeros van a descansar frente a un mar hermoso que a la vez puede ser muy peligroso.

Zipolite quiere deicr "mar de la muerte" y dicen que cada temporada mueren ahogadas aproximadamente 20 personas, debido a la inmensidad de las olas y la intensidad de las corrientes.

Recuerdos de un viaje a Costa Rica

Llegamos al aeropuerto internacional de San José, Costa Rica, un viernes por la tarde, llevando con nosotros poco equipaje dentro de mochilas pequeñas, nuestras tablas de surfing y nuestras expectativas. Veníamos llenos de ilusiones, gracias a las fotografías espectaculares que habíamos visto en revistas y que nos habían llamado desde lejos; no podíamos aguantar las ganas de llegar a pisar la arena de las playas prometidas y ver la potencia de un nuevo mar en todo su esplendor.

Tan pronto como salimos de la puerta principal del aeropuerto, se aproximaron los taxistas prometiendo los mejores precios y los carros más cómodos para llevar nuestras tablas. Algunos hacían el dedicado esfuerzo de hablarnos en inglés, y se reían con entusiasmo cuando se daban cuenta de que yo les contestaba en español.

Negocié un precio razonable por el traslado que duraría hora y media hasta las playas pacíficas de Jacó, mientras mis dos amigos estadounidenses cuidaban el equpaje. Les hice señas para que se acercaran, amarramos las tablas al techo del taxi, metimos las mochilas en el baúl y nos acomodamos dentro del taxi color verde con vidrios oscuros repletos de calcomanías.

Tomé el asiento delantero. Conversé con el nuevo amigo taxista durante la mayoría del trayecto culebrero que descendía de la montaña hacia el mar, haciendo preguntas acerca de la situación política del país y de la cultura, que hasta ahora había demostrado ser acogedora y despreocupada. Aprendí que Costa Rica es un país neutral, que no militariza ningún ejército y que no participa en ningún altercado político internacional.

También aprendí que la economía se alimenta de la agricultura y de los dineros extranjeros que vienen a gastar los turistas, buscando junglas, fauna, peces vela, volcanes, cauces rápidos y, por supuesto, olas. Aprendí acerca de "Pura Vida", el lema nacional y respuesta uniforme útil en toda ocasión.

Llegamos a Jacó al anochecer y nos hospedamos en un hotel sencillo, pero cómodo, asegurándonos de que estuviéramos a pocos pasos de la playa. Arrimamos nuestro equipaje contra las paredes y nos acostamos a descansar. El día de viaje había sido pesado, y sabíamos que la madrugada nos esperaba con el reto de las fotos de las revistas que tanto habían colmado nuestras cabezas de ilusiones de gloria.

Perú, cuna de los Incas

Perú es reconocido a nivel mundial por su música, su comida su gente y su topografía: desiertos, selvas amazónicas, montañas y lagos. Pero quizá una de las reliquias más importantes que tiene este maravilloso país suramericano son las ruinas arqueológicas provenientes de la cultura Inca que habitó sus tierras hace más de quinientos años.

Puede decirse que la ciudad de Machu Pichu es la muestra más grandiosa de la existencia de dicha civilización y cada año atrae a miles de personas de todas partes del mundo. Es un lugar donde se puede apreciar lo inteligente, ingeniosa, trabajadora y estructurada que fue esta civilización indígena.

Se puede llegar a Machu Pichu por carretera, viajando en bus pero también existe lo que se llama el Camino del Inca, un camino que atraviesa las montañas y por el cual, después de varios días se llega a Machu Pichu con la sensación de haber pasado por el mismo hábitat que ha existido hace más de medio siglo.

A lo largo de este camino se pueden apreciar paisajes de una belleza incomparable. Las imponentes montañas se extienden interminablemente y ofrecen una gran biodiversidad y numerosas ruinas arqueológicas.

La llegada a Machu Pichu es algo grandioso, especialmente para aquellas personas que han llegado caminando el arduo camino Inca. Se pueden pasar horas caminando por la ciudad y apreciando la arquitectura y la simbología de las estructuras.

Al finalizar el día, se desciende en bus al pueblo más cercano Aguas Calientes, que obtuvo su nombre por sus manantiales de aguas calientes. Se trata de un hermoso pueblo, con calles empedradas, colores vivos y música autóctona. Hay quienes se quedan aquí uno o dos días, antes de regresar a Cuzco, otra gran ciudad peruana donde culmina el inolvidable viaje a Machu Pichu.

Colombia, tierra encantadora

La diversidad de paisajes que se pueden encontrar en Colombia lo hacen un sueño para el viajero que gusta de variedad en su experiencia turística. Gracias a su topografía, el país ofrece una inmensa gama de climas, de flora y de fauna a lo largo y ancho de su territorio. Sin importar su región de origen, sus gentes siempre se han destacado por su amabilidad y alegría. Por muchas razones, Colombia es uno de los paraísos de Suramérica.

Comenzando por la capital del país, Santafé de Bogotá, ubicada en el altiplano cundiboyacense de la Cordillera Oriental de los Andes, a 2.600 metros de altura sobre el nivel del mar, el viajero se encontrará rodeado por un mundo mágico y lleno de colorido. Las montañas de la cordillera se imponen sobre el lado oriental de esta gran metrópolis. Basta con subir a una de las poblaciones allí localizadas para obtener vistas asombrosas de esta enorme ciudad capital.

La Catedral de Monserrate, en la cima de una de las montañas circundantes más altas, es uno de los lugares turísticos más populares y su cruz se puede apreciar desde casi cualquier parte de la ciudad. Allí se puede subir de dos maneras: una es por teleférico, un sistema para transportar pasajeros por los aires en una cabina que es llevada por cables, similar al que se utiliza en las montañas donde se esquía en la nieve. La segunda consiste en escalar la larga fila de escalones que culebrean montaña arriba, proeza que muchas personas realizan de rodillas debido a sus convicciones religiosas. La experiencia de subir a Monserrate ha sido inmortalizada en diversas canciones y cuentos populares.

Descendiendo hacia el noroccidente, cerca al valle del río Cauca, encontramos a la gran ciudad de Medellín, situada entre la Cordillera Central y la Cordillera Occidental. Medellín se destaca por ser uno de los centros industriales del país, de clima siempre agradable y donde se encuentran algunas de las mujeres más bellas de Latinoamérica. Los habitantes de la región, quienes reciben al apodo cariñoso de "Paisas", son personas cálidas y alegres, conocidas por su amor a la fiesta. Siempre le extienden una bienvenida entusiasta a cualquiera que llegue a visitar su región.

Sobre la costa caribeña encontramos la hermosísima e histórica ciudad de Cartagena de Indias, ciudad amurallada que lleva consigo la más apasionante historia como puerto marítimo y centro comercial de la época de la Colonia española. Cartagena y sus playas se han convertido hoy en día en una de las capitales turísticas de toda América Latina. Es el destino para miles de enamorados que viajan a ella para disfrutar de una luna de mie mágica.

Desde sus montañas hasta sus playas, Colombia y su diversidad presentan el escenario ideal para cualquier viajero. En cada esquina y cada rincón vive el espíritu aventurero que es capaz de alegrar a cualquiera, sin importar su provenencia ni condición Colombia, tierra encantadora, sede de memorias y sonrisas.

Arquitectura colonial de Cartagena

Fotos cortesía de Andrés Truco

Latin Market
A True Story

Esta historia podría repetirse numerosas veces. En efecto, ha ocurrido en varias ciudades de los Estados Unidos con diferentes personajes en una variedad de negocios. El personaje de esta historia posee las siguientes características: ha llegado aquí buscando proteger y mejorar las condiciones de su familia, ha aprovechado sus talentos, creatividad e inteligencia y ha logrado exactamente eso — la paz y la prosperidad.

Se trata precisamente de un señor Alonso, dueño de un negocio exitoso, el Latin Market - Mercado Latino - situado en el área de la Bahía de Tampa. Alonso llegó hace alrededor de diez años con su familia a Miami, víctima de la persecución. Poco después se mudó para la costa occidental de la Florida, donde no le fue difícil conseguir trabajo de inmediato, gracias a su espíritu luchador.

Sin embargo, él sabía que lo más importante era poder realizar su sueño de ser independiente. Después de aprender sistemas de ventas en algunas de las compañías donde había trabajado, tuvo la idea de vender productos comestibles puerta a puerta.

Al ver crecer el negocio, se dio cuenta de que era de rigor conseguir un vehículo adecuado para transportar los productos: frutas, verduras y demás. Fue así como adquirió un pequeño bus escolar, que le ayudó a establecer el negocio. Era como tener una tienda sobre ruedas.

Nadie se sorprendió cuando, más adelante, pudo abrir su propio almacén de víveres, ni cuando, después, se mudó a un local aún más grande.

Conforme con su espíritu de generosidad, este luchador siempre da mucho crédito a los demás. Agradece infinitamente a su devota familia, su linda esposa y sus dos hijos guapos, junto con varias personas más que lo apoyaron y le prestaron una ayuda muy valiosa.

Ahora Alonso disfruta de los meritosos éxitos y fabulosos resultados de su fe, perseverancia y dedicación... pero es de saberse que este hombre ingenioso sabe que es indispensable mantener la buena calidad de sus productos, ofrecer buenos precios y mantener a sus clientes satisfechos. Esta es su meta y se ocupa de cada detalle personalmente.

A propósito, entre sus clientes se encuentran muchos amigos cubanos, colombianos, puertorriqueños, mexicanos, venezolanos y demás hispanos, quienes se encuentran en el Latin Market, no solamente para comprar víveres, sino también para conversar, pasar ratos agradables — hacer vida social— en este sitio donde todos se conocen por nombre.

Lectura
¿Quién es un inmigrante?

¿Cuántas personas han venido a este país anhelando una vida productiva, escapando de la pobreza, la tiranía y la agonía; en fin, en busca de la realización de sus sueños? Tendríamos que remontarnos a principios del siglo XVII, cuando los primeros peregrinos llegaron a nuestras costas del este sin temor a sufrir, sacrificar y laborar intensamente para crear una existencia más fructífera. Nosotros somos el resultado de ellos, y de los inmigrantes que continuaron a llegar en manadas de todas partes del globo a sembrar la semilla de la grandeza que es nuestra nación hoy. Así que inmigrantes somos todos.

En todas las décadas del siglo pasado, y ciertamente en esta, han existido personajes ilustres de origen latino-español, descendientes de inmigrantes originales, que han contribuido a la estructura y construcción de este país en campos diversos como el arte, la música, la industria, la arquitectura, la literatura, la radio y televisión, la economía e inclusive la política. En la actualidad están incluidos centenares de hombres y mujeres jóvenes quienes están luchando y muriendo por defender a su nación. ¿Son ellos hijos de inmigrantes, hispanos, o sencillamente americanos?

Mis compatriotas, tengan piedad por la gente de Colombia, donde el secuestro diario se convirtió en negocio y el terrorismo diario ha destruido miles de familias. Tengan piedad por nuestros vecinos de Centro y Suramérica donde el desarrollo natural no progresa por causa de la violencia y la incomprensible política... y abran sus corazones a los mexicanos, quienes padecen hambre, sin manera de poder trabajar en su propio país para mantener a sus familias.

Todas estas personas vienen a los Estados Unidos a vivir una vida honesta y entera, y como los primeros peregrinos, a reallizar sus sueños.

God bless America - y Dios bendiga a sus inmigrantes...

Idiomatic Expressions
Expresiones idiomaticas

A

a mano	by hand, at hand
a tiempo	on time
a causa de	on account of
a toda hora	at all times
a la carrera	in a hurry
al fin	at last
a través de	across, through

Example:
El vestido de Halloween de Cuki fue hecho a mano *por su mamá.*
Emilia no llegó a la clase a tiempo *porque había un accidente en el puente.*
*¡*Al fin *terminé el trabajo!*

B

bien vestido	well dressed
buen rato	pleasant, long time
burlarse de	make fun of

Example:
La tía Leticia siempre está bien vestida *porque ella compra su ropa en Nueva York.*
Esperé un buen rato *y Carlos nunca llegó a la cita de las dos y media.*
El comediante se burló *del presidente.*

C

claro que sí / no	of course, of course not
caer bien / mal	to please, displease
como no	why not, of course
cargar con	take the responsibility of

con motivo de	because of, with the purpose of
cuanto antes	as soon as possible

Example:
La profesora de Geometría no le cae bien *a los estudiantes.*
Emilia de Gómez carga con *la responsabilidad de ser presidente del comité.*

D

de manera que	so that, therefore
darse cuenta	to notice, to realize
de parte de	on behalf of
de repente	suddenly
de lejos	from a distance
de alguna manera	somehow

Example:
Yo no me dí cuenta *que había dejado las ventanas abiertas.*
De parte de *la Academia de Bellas Artes, le entregaron un premio al pintor, Ramírez.*
De alguna manera *voy a lograr tomar unas vacaciones en agosto.*

E

en cuanto a	in regards to
en adelante	from now on
echarse para atrás	go back on
echar una siesta	take a nap
echar canas al aire	disregard one's age
echar la culpa	to blame
en broma	as a joke, joking
en seguida	at once, immediately
en vez de	instead of

Example:
En vez de *ir a Wyoming, cambiamos de planes y fuimos a Nevada.*
Lo dije en broma *pero lo tomó en serio.*

Mi abuelo se echó las canas al aire *el día de su cumpleaños y bailó salsa.*
Cuando Emilia llama la familia a comer, todos vienen en seguida.

F

fijarse en	to notice, pay attention to
frente a	in front of
faltar tiempo	lack time

Example:
Fíjese en *las instrucciones y pasará el examen.*
Me ha faltado tiempo *para terminar de leer todo el artículo.*

G

ganarse la vida	to make a living
guardar silencio	to keep quiet
ganar peso	to gain weight

Example:
Dorotea Willis se gana la vida *escribiendo novelas románticas.*
La actriz no come carbohidratos para evitar ganar peso.

H

hacer frío	to be cold
hacer calor	to be hot
hacer buen tiempo	to be good weather
hacer caso	behave, pay attention to
hacer cola	to stand in line
hacer falta	to miss, be in need of
hasta que	until
hacer un gesto	to make faces

Example:
A veces Cuki no hace caso *a su mamá.*
Si hace buen tiempo*, saldremos en el bote.*
Me haces mucha falta *cuando estás lejos de mí.*

I

ida y vuelta	round trip
ingresar en	to enter, join (an organization)
igual que	the same as
ir para atrás	back up, go backwards
ir de compras	go shopping

Example:
Me gustó ir de compras *en París.*
El Señor López compraría un billete de ida y vuelta, *si tuviera el tiempo para viajar.*

J

junto a	beside, next to
juego limpio	fair play
juego de palabras	play on words

Example:
El pícaro no tiene un juego limpio *en cartas.*
El orador hablaba siempre con un juego de palabras.
A Roberto le gusta sentarse junto a *la niña bonita en la clase.*

L

la mayoría de	the majority of
lo de menos	the least important
lo que	that, that which, what
la idea de	the mere idea of

Example:
No entendí lo que *dijo el comentarista.*
La mayoría *de la gente trabaja demasiado.*

M

más aún	furthermore
más bien	rather
más que	more than
más vale tarde que nunca	better late than never

más allá	farther away
más acá	nearer
más de	more than
mayor de edad	of legal age, adult
mejor dicho	better yet, rather
menos mal	better, at least
meter la pata	let the cat out of the bag

Example:
Menos mal *que no llovió para el desfile.*
El director de la orquesta tiene mal genio, mejor dicho, *no es una persona muy simpática.*
Luis no puede comprar cerveza porque no es mayor de edad.

N

no obstante	nevertheless
nacer de pies	to be born lucky
nada más	nothing more, only
ni siquiera	not even
no hay de qué	you're welcome
no faltaba más	that's all we needed
no hay nada qué hacer	there's nothing to do (about it)
no le hace	it doesn't make any difference
no me diga	don't tell me, really?
nunca más	never again

Example:
No gané ni siquiera *dos pesos en la lotería.*
No le hace *que Sam no estudió, porque pasó el examen divinamente.*
Stacy abandonó el violín y nunca más *volvió a tocar música.*

O

optar por	to choose
oler a	to smell like
¡Otra, otra!	encore

Example:
Ofelia optó por *comprar el vestido rojo, no el azul.*
La cocina de la señora Datali huele a *ajo.*

P

para que	in order that
pasar de moda	go out of style
poco rato	very soon
poner en claro	to clarify
poner en marcha	get going
poner por obra	undertake
pasar lista	to call roll
pata de gallo	crow's foot wrinkles
perder cuidado	not to worry

Example:
Ojalá que ponga por obra *dejar de comer dulces.*
Pierde cuidado, *no voy a* meter la pata *acerca de tu secreto.*
En el crucero había algunas damas que lucían trajes pasados de moda *para la cena.*

Q

qué horror	how terrible
qué hubo	what's up, what's happened to
qué te / le pasa	what's the matter
qué lástima	that's too bad
que le vaya bien	hope it goes well, good luck
quedarle bien	to suit you, look good on you
quedar en	agree
qué tal	what if, how are you

Example:
Hola amigo, ¿qué hubo *con tus planes de viajar a México?*
A Gloria le queda bien *ese nuevo peinado.*
Bueno, quedamos en *que nos encontraríamos en el restaurante francés para almorzar el martes.*

R

rara vez	rarely
repetidas veces	over and over
reirse de	laugh at
recien casados	newly weds
rebajar el precio	reduce the price

Example:
Los niños se reían del *payaso en el circo.*
Hay una venta de carros en que los autos están muy rebajados de precio.

S

se vende	for sale
se dice	they say, one says
se ve que	it's obvious, noticeable
se venció el plazo	the time experied
se solicita	wanted
se habla español	Spanish is spoken
sacar una foto	to take a picture
sacar a bailar	to ask to dance
sacar el cuerpo	to get out of, to dodge
saber a	to taste like
ser de rigor	to be required, needed
salirse con las suyas	to have one's own way

Example:
El niño acosó a la mamá hasta que al fin ella le compró el juguete y logró salirse con las suyas.
Sacamos varias fotos *en el paseo a las montañas de Colorado.*
Este postre me sabe a *almendras.*
Se solicita *la ayuda de varios funcionarios para la fiesta anual de la iglesia.*

T

tal como	such as
tan pronto como	as soon as
tarde o temprano	sooner or later
tener éxito	do well, succeed
tener celos	to be jealous
tener en cuenta	to consider, to take in account
tener la culpa	to be blamed for
tener pena	to be sorry
tener razón	to be right
tener vergüenza	to be ashamed / shy
todavía no	not yet
tomar el pelo	to tease
toda clase de	all kinds of
todo el mundo	everyone
tratarse de	to be a question of / to be about
tomar en serio	to take to heart

Example:

No se trata de *quién tiene la razón en el argumento.*
El no tiene en cuenta *las necesidades de los demás.*
Tan pronto como *lleguen los niños saldremos de compras.*
¿Quién tenía la culpa *por haber roto el plato antiguo de Emilia, el gato o Cuki?*

U

un día de estos	one of these days
un no sé qué	something not definable
un par de	a couple of
una que otra vez	more than one time, occasionally
uno por uno	one by one

Example:

Hay un no sé qué *en la atmósfera que me pone nostálgica.*
Una que otra vez *él me ha dicho que me quiere de verdad.*

V

valer la pena	to be worthwhile
venir a menos	to decline
venir a ser	to turn out to be
visto que	seeing that, considering that
volver loco	to drive crazy
voz alta	out loud
voz baja	sofly

Example:
Lea su tarea en voz alta *para aprender el español.*
El vino a ser *uno de los mejores futbolistas en la historia de juego.*
No vale la pena *sufrir por amor.*

Y

¿y si?	what if, so what
ya que	since, although
ya es tarde	it's too late

Example:
¿Y si *no voy a la fiesta, qué pasa?*

Ya que *han estudiado a fondo este libro, mi deseo es que el conocimiento del idioma español les ayude a alcanzar sus metas y sentirse realizados.*

About the Author

In her early youth, Juana Arenas went from Boston to Bogotá, where she absorbed the customs, culture, music and lifestyle of Colombia and learned to speak the Spanish language like a native. She calls the 24 years of residing in her adoptive country her formative years.

Although Juana's education included Mannes Music College, courses in La Sorbonne and Harvard and intense training in an international school of languages, her strong conviction is that no amount of academics is as valuable as perseverance and determination, That's the reason that after three decades of teaching English and Spanish, she has chosen to write a Spanish grammar that is clear-cut, progressive, easy to follow and enjoyable to read.

Juana says that it's all about faith; that if you believe in yourself and are sincerely motivated, you can embark on any journey successfully. She hopes that *Sailing with Spanish* has inspired you all the way.

For audio lessons, visit our website,
www.SailingWithSpanish.com.

Ks
10/11